MANFRED HAUSMANN

GESAMMELTE SCHRIFTEN
IN EINZELAUSGABEN

1968

S. FISCHER VERLAG

MANFRED HAUSMANN

UNVERNUNFT ZU DRITT

Drei Erzählungen

1968

S. FISCHER VERLAG

© S. Fischer Verlag GmbH, Frankfurt am Main 1968
Satz und Druck: Hanseatische Druckanstalt GmbH, Hamburg
Gesetzt aus der Janson-Antiqua
Einband: Ladstetter GmbH, Hamburg-Wandsbek
Printed in Germany 1968

Bernhard Runge
zum Gedenken

Er war von gedrungener Gestalt, hatte einen runden Kopf, etwas aufgeworfene Lippen, braune Augen mit grünlichen Einsprengseln unter schweren Lidern und schwarzes Haar, das er nie zu kämmen schien. Während wir andern unbekümmert drauflosredeten, hielt er sich zurück. Er hörte zu und dachte nach. Tat er aber den Mund auf, nachdem er die Stirn in Falten gelegt und die Lippen etwas vorgeschoben hatte, dann war das letzte Wort in dieser Sache gesagt. Da biß keine Maus den Faden ab.

An unserer Schule, einem humanistischen Gymnasium, herrschte der Grundsatz der uneingeschränkten Autorität. Keinem von uns wäre es in den Sinn gekommen, sich gegen einen Lehrer aufzulehnen. Der Professor hielt es anders. Wenn er über die Darlegung eines Lehrers nachgedacht und Zweifel an ihrer Richtigkeit hatte, meldete er sich, trat, wie es sich gehörte, aus der Bank heraus und brachte mit einer Stimme, die eher schläfrig als sicher klang, seinen Einwand vor. Heute mag das eine Selbstverständlichkeit sein, damals galt es als etwas Unerhörtes. So bewies er dem Lateinlehrer, den wir Kallebumms nannten, daß die Rheinbrücke, wäre sie so gebaut gewesen, wie Cäsar sie beschrieben habe, nicht einmal einem mäßigen Strömungsdruck, geschweige denn dem alljährlichen Frühlingshochwasser hätte standhalten können. Offensichtlich habe Cäsar die Konstruktion nicht begriffen. In den Augen von Kallebumms bedeutete das, Beweis hin, Beweis her, ganz einfach eine Frechheit. Aber auch dem Mathematiklehrer verging das Vergnügen am Fangballspiel mit dem Kreidestück, wenn er sich sagen lassen mußte, die von ihm vorgetragene Lösung der Aufgabe sei zwar richtig, aber zu aufwendig, es gebe eine elegantere, etwa folgendermaßen . . .

Mich, der ich weder solcher Erkenntnisse noch eines solchen Auftretens fähig gewesen wäre, beglückten diese Vorgänge in höchstem Maße. Nicht daß ich Schadenfreude empfunden hätte — Zeit meines Lebens habe ich mich einer derartigen Freude, sofern es überhaupt eine ist, nicht überlassen mögen — ich war vielmehr verzaubert von der ruhigen Furchtlosigkeit des Professors, der, unbekümmert um die Nachteile, die ihm womöglich daraus erwachsen könnten und auch erwuchsen, mit der Linken in der Hosentasche dastand und seine Sache ernst und unwiderleglich verfocht. Der Lehrer wußte denn auch nichts anderes zu sagen als: »Nehmen Sie Ihre Hand aus der Tasche«, was er sofort tat.

Eines Tages begleitete er mich nach dem Schluß des Unterrichts ein Stück, obwohl er einen andern Weg hatte als ich, und fragte mich wie beiläufig, ob ich nicht Lust hätte, ihn einmal zu besuchen.

Ich konnte nur »Mensch . . .« stammeln.

»Am besten gleich heute nachmittag«, sagte er.

Als ich zu bedenken gab, daß ich noch keine Zeile meines Aufsatzes niedergeschrieben hätte, lehnte er es mit einer Handbewegung ab, an eine solche Nichtigkeit wie einen Aufsatz auch nur den Hauch eines Gedankens zu verschwenden. Mehr brauchte es nicht, um mich zu der nämlichen Ansicht zu bekehren. »Um drei Uhr also«, sagte er, stieß mit seiner Büchertasche gegen meine und kehrte um.

Sein Elternhaus, das in einem ausgedehnten, etwas verwilderten Garten lag, unterschied sich von den andern durch die Gardinenlosigkeit seiner Fenster. Ich fand das interessant. Wahrscheinlich hätte ich alles interessant gefunden, was mit dem Professor zusammenhing, selbst das Verrückteste. Sein Vater las übrigens an der Universität über Sanskrit, seine Mutter stammte aus Kanada. Auch das machte Eindruck auf mich. Vollends überwältigt war ich jedoch, als er mich in das Zimmer führte, das er mit seinem älteren Bruder teilte. An den Wänden klebten Fotografien, technische Zeichnungen und Ausschnitte aus illustrierten Zeitschriften. Die meisten stellten Flugzeuge, Schiffe, Maschinen und dergleichen dar. Andere fremdartige Menschen und Landschaften. Auf einem derben, schon reichlich mitgenommenen Tisch in der Mitte des Zimmers lagen allerlei Werkzeuge herum, außerdem Bambusstäbe, Sandpapier, Leimtuben, Leukoplastrollen, Tütchen mit winzigen Nägeln und noch winzigeren Schräubchen. Rechts und links neben dem Fenster standen zwei kleinere Tische. Über jedem baumelte eine nackte Glühbirne. An der Wand hinter dem einen Tisch, der dem Professor gehörte, hing das zarte Gerüst eines Modellflugzeuges. Darunter war ein weißes Blatt mit einer Reißzwecke angedrückt, auf das jemand mit Großbuchstaben geschrieben hatte:

noch in den Kinderschuhen. So verwahrte er in der Schublade seines Arbeitstisches eine Anzahl von Miniaturgleitern auf, nicht größer als Libellen, die sich mit ihren durchsichtigen Flügeln und Leitwerken aus hauchdünn aufgespaltenem Marienglas wie schwerelose Luftgeister ausnahmen. Nachdem er mir auseinandergesetzt hatte, worum es ihm zu tun war, stieg er auf einen Stuhl und ließ einen der gläsernen Gleiter nach dem andern von einer bestimmten Höhe aus, die an der Wand bezeichnet war, in die Tiefe fallen. Der Sturzflug ging in jähem Bogen in ein nahezu waagerechtes Schweben über, das an der anderen Wand endete. Je nach Größe und Form der Flügel, ihrem Anstellwinkel, der Entfernung zwischen Flügel und Leitwerk, der Lage des Schwerpunkts, die durch ein Wachsklümpchen verändert werden konnte, stieß das Insekt an einer höheren oder tieferen Stelle gegen die Wand und hinterließ dort, da seine Nase mit Stempelblau gefärbt war, auf einem ausgespannten Papierbogen einen Punkt. Durch Vergleichung der Punktabstände gewann der Professor Erkenntnisse, die es ihm ermöglichten, die Flugeigenschaften des Modells zu verbessern. An größeren Gleitern, die aus Bambusstäbchen und lackiertem Papier bestanden, probierte er verschiedene Flügelquerschnitte aus. Ich erfuhr zum erstenmal, daß die Geschwindigkeit der Luftströmungen an der Unter- und Oberseite eines Flügels nicht die gleiche sei, worauf ein wesentlicher Teil des Auftriebs beruhe, und daß es nichts Schlimmeres gebe als eine abreißende und verwirbelnde Strömung. Das alles war aufregend, war geradezu überwältigend für mich. Es war Wissenschaft, Forschung, Zukunft. Ich konnte es kaum glauben, daß sich einer meiner Mitschüler, ein Junge wie ich, mit so etwas zu befassen wagte. Aber für den Professor bedeutete es nichts Besonderes. Er bewegte noch ganz andere Gedanken und Pläne in seinem Kopf. Ob ich schon einmal etwas von Otto Lilienthal gehört habe?

»Lilienthal? Nein.«

Er sei mit einem Gleitflugzeug durch die Luft gesegelt, irgendwo bei Berlin, von einem Hügel herunter, schon vor zwanzig Jahren ungefähr. Auf so etwas wolle er, der Professor, auch hinaus. Nur gehe er, anders als Lilienthal, der sich zu eng an das Vorbild der Vogelschwingen gehalten habe und deshalb tödlich abgestürzt sei, davon aus, daß ein von Menschen konstruierter Gleiter nach eigenen Gesetzen entwickelt werden müsse. Letztlich träume er natürlich von einem Flugzeug mit Motor und Propeller. Aber sein theoretisches Wissen reiche noch nicht aus, wenn er auch glaube, mehr von der Sache zu verstehen als all die Leute, die zur Zeit mit ihren zusammengenagelten Maschinen zu fliegen versuchten. Der Motor, der Motor, da liege das Problem. Das Verhältnis von Gewicht und Leistung sei noch viel zu ungünstig. Er würde sich für sein Leben gern einmal mit einem Metallurgen unterhalten. Stattdessen mute man ihm zu, in der Schule herumzusitzen und zum Takt von Kallebummsens Bleistift im Chor der lateinischen Phrasenaufsager mitzuwirken. Es sei zum Händeringen.

»Ein Metallurge«, sagte ich, »was ist das für einer?«

»Ein Fachmann für Metallguß.«

»Ein Fachmann ist er gerade nicht«, sagte ich. »Aber er hat etwas damit zu tun, mit Rotguß und Messing. Ich glaube, er käme für dich in Betracht. Und überhaupt, ich glaube, er würde sich für deine Gedanken und für alles, was du hier so machst, ich glaube, er würde sich dafür interessieren. Und für dich auch.«

»Wer denn? Wieso denn?«

»Mein Vater. Ich glaube, er würde sich für dich interessieren.«

»Was ist er denn?«

»Er baut Mikroskope, Projektionsapparate, mikrofotografische Apparate und lauter so was?«

»Hat er eine Fabrik?«

»Er nennt es ›Optische und mechanische Werkstätten‹.«

»Hört sich gut an. Meinst du, daß er mal Zeit für mich hätte?«

»Hat er. Hat er bestimmt. Nicht immer, aber wenn es ihn so überfällt, weißt du, manchmal überfällt ihn irgendeine Sache oder auch nur eine Spielerei, schon früher, irgendein Spielzeug für mich, dann hat er Zeit, dann läßt er alles stehn und liegen und tüftelt daran herum, bis es ihm geglückt ist. Aber auch wissenschaftliche Sachen. Mit seinem mikrofotografischen

Apparat bringt er zum Beispiel Bilder zustande wie keiner sonst auf der ganzen Welt. Sie kommen von weither angereist, die Professoren, und wollen seine Diapositive sehen. Aber das Fertige interessiert ihn nicht mehr. Darum bringt er es auch zu nichts, mit der Fabrik nicht und auch sonst nicht. Meine Mutter ist oft ganz verzweifelt.«

»Hat ihn schon einmal etwas überfallen, das mit Motoren zusammenhängt?«

»Kann ich nicht sagen. Ich glaube aber nicht. Er arbeitet meist nachts in seinem Atelier. Und da darf ich nicht hinein. Besuch mich doch einfach mal. Am besten Sonntags morgens, am besten so gegen elf. Da hat er Zeit. Ich könnte ihm ja schon ein bißchen was von dir erzählen.«

»Das wäre nicht schlecht.«

So kam der Professor in unser Haus. Zuerst hatte ich Angst, mein Vater werde ihn zu nüchtern oder doch zu schwunglos finden. Aber schon nach kurzer Zeit wurde deutlich, daß er ihn mochte. Ebenso wurde deutlich, daß der Professor sich zu meinem Vater hingezogen fühlte. Einer erkannte den andern ohne weiteres an, obwohl ihre Naturen sich kräftig widersprachen. Mein Vater war ein Mann, den seine lebhafte Phantasie und Ungeduld wieder und wieder zu allen möglichen Übereiltheiten hinriß. Er sprach gern und viel von seinen Plänen, vielleicht um sich selbst Mut zu machen, er neigte zu Übertreibungen, er nahm Erhofftes für Vorhandenes, er stand meist nur mit einem Bein auf der Erde, und manchmal schwebte er vollends in der Luft. Da war es dann einerseits die Aufgabe meiner Mutter, andererseits die des Prokuristen, ihn in die Wirklichkeit zurückzuholen. Ohne die beiden hätte die Fabrik die Krisen, in die sie mehr als einmal geriet, wohl kaum überstanden, wenngleich sich nicht bestreiten ließ, daß einige seiner abenteuerlichen Unternehmungen Erfolg hatten. Dadurch glaubte er sich dann zu neuen Gewagtheiten ermächtigt.

Damals wollte es mir nicht einleuchten, aber heute ist es mir völlig klar, daß mein Vater und der Professor nicht trotz sondern gerade wegen der Gegensätzlichkeit ihrer Wesensarten zueinanderfanden. Die Übereinstimmungen, deren es nicht wenige gab, minderten die Gegensätze zu Ergänzungen. Außerdem mußte der Professor meinen Vater ja für ein Geschenk des Himmels halten, denn bislang war ihm noch niemand begegnet, der seinen Flugzeug- und Motorenplänen eine solche Aufmerksamkeit geschenkt und überdies die Verwirklichung in den Bereich des Möglichen gerückt hätte. Und auf meinen Vater machte sicher die geduldige und gesammelte Art des Professors, die Folgerichtigkeit seines Denkens und die Planmäßigkeit seiner Versuche keinen geringen Eindruck. Das Kind in meinem Vater und der Mann im Professor trafen sich auf halbem Wege und schlossen Freundschaft miteinander.

Eitel Sinneseinigkeit herrschte zwischen ihnen in der Beurteilung und Verurteilung der Schule, nicht nur des Gymnasiums, das der Professor und ich besuchten, sondern des Schulwesens überhaupt. Mein Vater konnte sich nicht genug daran tun, uns und andern die absolute Überflüssigkeit der Schule auseinanderzusetzen. Ich wußte nie so recht, ob er es ernst meinte oder ob ihm nur daran lag, seine Gesprächspartner zu verblüffen. Wenn er allerdings ausführte, einem Institut, das junge Menschen neun Jahre lang — er wiederhole: neun Jahre lang — Tag für Tag in der lateinischen Sprache unterrichte, ohne daß sie danach imstande seien, eine fehlerfreie lateinische Abhandlung zu verfassen oder sich in dieser Sprache zu unterhalten, müsse er die Daseinsberechtigung rundweg absprechen, dann ließ sich kaum etwas Stichhaltiges dagegen vorbringen. Der Professor stimmte ihm denn auch unter tiefer Furchung seiner Stirn bei und fügte hinzu, es gebe nichts, was man sich nicht aus einem Buch schneller, genauer und gründlicher anzueignen vermöge als durch den Besuch der Schule. Ein Vierteljahr in London wiege fünf Jahre Englischunterricht auf und mehr als auf.

»Was für eine sündhafte Verschwendung aufnahmefähigster und aufnahmebereitester Lebenszeit!« rief mein Vater aus. »Ich sage immer: Schulpflicht ist gleichbedeutend mit Stumpfsinnspflicht.«

Er konnte manchmal wunderbar unvernünftig sein. Auch darin verstand er sich mit dem Professor aufs beste.

Im Laufe des Herbstes erbauten wir auf der gedeckten Veranda, die uns die Mutter des Professors in gleichmütiger Freundlichkeit zur Verfügung stellte, ein Gleitflugzeug von anderthalb Metern Spannweite. Dabei wurden alle Erkenntnisse berücksichtigt, die wir durch die Flüge der kleinen Modelle gewonnen hatten. Wenn ich »wir« sage, so ist das die reine Großsprecherei. Denn meine Mitwirkung bei den Versuchen wie beim Bauen ging nicht über eine Handlangertätigkeit hinaus. Aber ich war glücklich. Der Motor dagegen, für den ich mich nicht recht begeistern mochte — mein Vater dafür um so mehr —, stand noch auf dem Millimeterpapier. Und auch dort war er noch nicht bis zur Baureife gediehen. Zwar drängte mein Vater in seiner Ungeduld darauf, anzufangen, auch wenn noch nicht alle Fragen gelöst seien. Während der Arbeit böten sich, wie er aus eigener Erfahrung wisse, manchmal Lösungen an, auf die man bei der Reißbrettüftelei nicht verfiele. Aber der Professor wollte die Konstruktion bis in jede Einzelheit durchdacht wissen, ehe wir den nächsten Schritt wagten. Und er setzte sich durch. Nicht etwa durch das Aufzählen von Gründen, sondern durch eine abschließende Bemerkung, die er unterm Hantieren mit Zirkel und Lineal beiläufig fallen ließ. »Na ja«, sagte mein Vater dann. Ich konnte nur staunen. Mein Vater war einundvierzig Jahre alt und der Professor sechzehn.

Der Gleiter, den wir »Silberreiher« nannten, übertraf unsere oder wenigstens meine Erwartungen um ein beträchtliches. Als der Professor ihn zum ersten Male vom Rande eines alten Steinbruchs in den freien Raum hinaussandte, zog er nach kurzem Fall ruhig und stetig seine Bahn, stieg im Aufwind sogar noch ein wenig höher, senkte sich dann in weiten, weichen Wellen und schwebte schließlich auf einer Weide langsam aus. Ich wußte mich kaum zu lassen vor Begeisterung. Aber der Professor war noch nicht zufrieden. Er änderte etwas am Leitwerk und ließ den »Silberreiher« ein zweites Mal fliegen. Und wieder glitt er sicher dahin. Beim drittenmal war die Reihe an mir, ihn in die Tiefe zu entlassen, während der Professor unten stand und die Flugbahn beobachtete. Und dann folgte ein Flug auf den andern. Wir änderten und probierten den ganzen Nachmittag an dem »Silberreiher« herum, bis es dunkel wurde. Auf dem Heimweg entwickelte der Professor mir den atemraubenden Plan, ein großes Gleitflugzeug zu bauen, das imstande sei, einen von uns zu tragen. Wenn wir den »Silberreiher« der Konstruktion zugrunde legten, sollte es eigentlich gehen. Er wisse nur noch nicht, wie der Start zu bewerkstelligen sei. Der Pilot müsse in der Längsachse der Maschine liegen und könne nicht, wie Lilienthal es getan habe, mit den Flügeln unterm Arm in den Steinbruch hinabspringen. »Vielleicht fällt deinem Vater etwas ein. Ich denke an eine Art von Katapult. Wir gehen am besten gleich zu euch.«

Obwohl mein Vater an diesem Abend lange gearbeitet hatte und offensichtlich abgespannt war, hörte er, während er sein verspätetes Essen verzehrte, dem Professor aufmerksam zu und nickte ein paarmal gegen seinen Teller. Nachher besah er sich den »Silberreiher« von oben und unten, schob die Warze neben seiner Schläfe hin und her und sagte, er wisse etwas. Aber wir müßten die Nase ändern.

»Kein Problem«, sagte der Professor.

Mein Vater ging ins Schlafzimmer und kam mit einem sogenannten Expander zurück, einem aus zwei Handgriffen bestehenden Apparat, zwischen denen fünf fingerdicke, umsponnene Gummistränge von je einem halben Meter Länge hingen. Jeder Strang ließ sich aushaken. Das Ganze diente zur Stärkung der Muskeln. Waren alle Stränge nebeneinander eingespannt, dann gehörten ungewöhnliche Kräfte dazu, die Griffe mit beiden Händen bis zur Klafterung der Arme auseinanderzuziehen. Ich selbst schaffte es nicht einmal mit einem einzigen Strang.

»Geht folgendermaßen«, sagte mein Vater. »Nase verstärken. Haken anbringen, der nach unten offen ist. Ich spreche von der großen Maschine. Ein Dutzend Expanderstränge aneinanderkuppeln. An dem einen Ende einen Ring befestigen. Das andere Ende mit einer Wäscheleine verbinden.« Er bewegte bei jedem Satz seine geschlossene Hand gegen den Professor und stellte einen Finger nach dem andern auf. Als alle fünf gespreizt waren, schloß er sie wieder und fing von vorn an. »Maschine an einen steilen Hang schaffen. Ring von unten in den Nasenhaken hängen. Einer setzt sich hinein.«

»Legt sich hinein«, sagte der Professor.

»Legt sich hinein. Der zweite hält sie hinten fest.

Auftriebskräfte, Luftwiderstände und Schwingungs-
auswirkungen. Wir waren entschlossen, mit der Ge-
wichtsersparnis bis an die äußerste Grenze zu gehen.
Aber wo lag sie jeweils? Wie groß würde die Be-
lastung der Kufen beim Landen sein? Wie ließ sie
sich abfangen? Es verstand sich für uns am Rande,
daß wir die Konstruktion des »Silberreihers« hier und
an anderen Stellen nicht ohne weiteres auf unsere
»Gɪ« würden übertragen können, aber wir hatten
nicht damit gerechnet, daß jede, auch die geringfügig-
ste Änderung so viele neue nach sich ziehen würde.
Der Professor ging mit sorgenvoller Stirn umher.

Für mich kam eine weitere Sorge hinzu. Je mehr
die Jahreszeit fortschritt, um so wahrscheinlicher,
wenn nicht gewisser wurde es, daß der Professor ein
zweites Mal sitzenbleiben würde und dann die
Schule verlassen müßte. Ihm selbst machte es nicht
viel aus, im Gegenteil, es bedeutete für ihn nur das
Abstreifen einer Zwangsjacke und das Freiwerden
für ein sinnvolles Leben. In Mathematik und Physik
stand er gut. Und im Englischen und Französischen
auch. Aber in allen andern Fächern sah es schlimm
für ihn aus. Am schlimmsten im Deutschen. Nichts
und niemand vermochte ihn dazu zu bringen, ein Ge-
dicht nachzuerzählen oder zu interpretieren. Nicht
weil er unempfänglich für seine Schönheiten gewesen wäre, er wurde meiner Meinung nach sogar tiefer
davon angerührt als der Lehrer, sondern weil er darauf bestand, das Interpretieren von Gedichten und
überhaupt von Kunstwerken widerspreche der Kunst

durch Ausdruck, daß er, sofern er die Antwort wußte, kurz und leicht »signa convertere« sagte und sich setzte. Alles Weitere, insbesondere das Leiern im Chor, wies er von sich. Er hatte an Wichtigeres zu denken. Anfangs war es deswegen zu harten Auseinandersetzungen zwischen ihm und Kallebumms gekommen, sogar unter Hinzuziehung des Direktors, aber schließlich hatte hier, und nicht nur hier, die Beharrlichkeit des Professors obgesiegt. Man gewährte ihm so etwas wie Narrenfreiheit und behelligte ihn nicht mehr. Ostern würde er seine Rolle an der Schule ohnehin ausgespielt haben.

Aber so weit wollte ich es um alles in der Welt nicht kommen lassen. Ich rief meinen Vater zu Hilfe. Er schimpfte erst einmal ausgiebig auf die Schule im allgemeinen und auf unsere im besonderen und gab dem Professor recht und abermals recht. Wer einen Kopf habe wie er, finde überall Brot und Anerkennung und benötige keine Schule und nichts. Als ich dann aber, nicht ohne Hintergedanken, einwandte, das sei alles gut und recht, nur gönnte ich es der Schule nicht, daß sie nun doch über den Professor triumphieren werde, stutzte er und fand sich zu einem ruhigen und richtigen Gespräch bereit. Wir entwarfen einen großangelegten Plan zur Rettung des Professors. Dabei schreckten wir vor nichts zurück, nicht einmal davor, daß ich mich seiner Aufsätze, die er bislang in der Religionsstunde hinzusudeln pflegte, in der unbedenklichsten Weise annehmen und daß mein Vater Kallebumms vorgeblich in meinen

Angelegenheiten aufsuchen, das Gespräch aber auf den Professor bringen und beiläufig anmerken solle, ihm sei zu Ohren gekommen, daß er, der Professor, seinen Sinn geändert und die Absicht bekundet habe, hinfort loyal mitzuarbeiten, worüber er, mein Vater, um des hochbegabten Jungen willen eine aufrichtige Freude empfinde. Und dann solle er gutes Wetter für den Professor machen.

»Du mußt ihm«, schlug ich vor, »erst einmal etwas Angenehmes über seinen Unterricht sagen, vielleicht über seine Genauigkeit. Er hat es ja immer mit der Genauigkeit.«

»Das werden wir schon sehen«, sagte mein Vater, während er die schwarze Zigarre, die er seinem Sonntagskästchen entnommen hatte, zwischen den Handtellern rollte, »wir haben in dieser Angelegenheit auch noch ein Wörtchen mitzureden. Wir haben ja auch noch Gedanken in unserem Köpfchen. Er wird nicht sitzenbleiben. Nun gerade nicht. Punktum.«

Ich faßte neuen Mut.

Vorläufig hatten wir die Rechnung allerdings ohne den Wirt gemacht. Der Professor war durchaus nicht gewillt, auch nur eine Stunde seines Lebens einer so belanglosen Sache wie dem Versetztwerden zu opfern. Anders als bei meinem Vater machte der Hinweis auf den zu erwartenden Triumph der Schule nicht den geringsten Eindruck auf ihn. Es sei ihm doch nicht um Sieg oder Niederlage zu tun, sondern darum, sein Leben so zu führen, wie er es für richtig halte.

Aber früher habe er doch der Schule gegeben, was der Schule sei. Woher denn mit einem Male diese Starrköpfigkeit?

Nicht mit einem Male. Früher habe er nicht nachgedacht und infolgedessen nicht gewußt, worauf es für einen Menschen ankomme und worauf nicht. Aber mit der Zeit sei es ihm klargeworden.

Mein Vater klopfte mit dem rechten Mittelfinger auf die Knie des Professors: »Es handelt sich um Folgendes. Ich schicke voraus, daß wir uns hinsichtlich des Schulunfugs einig sind. Abgemachte Sache. Völliges Einverständnis. Aber, nicht wahr, wenn ich es einmal in einem Bilde wiedergeben soll, dann vergleiche ich die Schule mit einer Wand, durch die du hindurch mußt, wenn du dich in der Weite der Berufswelt frei ergehen willst. Die Wand ist eine Heidenschande. Aber sie steht da, wir können nichts dagegen machen, du und ich. Nun gibt es aber eine Tür in der Wand: das Abitur. Zugegeben, die Wand ist eine Schande vor Gott und den Menschen, noch einmal zugegeben, dreimal zugegeben, und die Tür ist ... also dafür steht mir überhaupt kein Ausdruck zur Verfügung. Aber dadurch wird sie nicht aus der Welt geschafft. Wir müssen doch die Kirche im Dorf behalten, Junge, wir müssen doch mit den Füßen auf der Erde bleiben.«

»Wer muß mit den Füßen auf der Erde bleiben?« fragte meine Mutter, die gerade mit einem Stoß

Flickwäsche ins Zimmer kam und sich an ihrem Nähtisch niederließ.

»Der Professor«, sagte ich.

Sie machte »Ach so« und warf einen Blick über den
Rand ihrer Nickelbrille hinweg auf meinen Vater.

Die Wand, sagte der Professor, sei kein zutref-
fendes Bild. Die Schule gleiche vielmehr dem Reis-
breiberg des Märchens vom Schlaraffenland. Nur be-
stehe der Berg in diesem Fall nicht aus Reis, sondern
aus allerlei widerlichem und unverträglichem Zeug.
Und wenn man sich hindurchgegessen habe, leide man
zeit seines Lebens an einem verdorbenen Magen.
Nun ja, das Bild sei auch nicht richtig. Man leide an
einem verdorbenen Geist und an einem verdorbenen
Charakter. Er ziehe es vor, außen herum zu gehen
und gesund zu bleiben.

»Junge, es gibt doch kein außen herum.«

Doch, er werde später in Kanada arbeiten. Kanada
sei ein freies Land, ein Land mit Zukunft.

»Jetzt will ich einmal etwas sagen.« Meine Mutter
schnitt einen weißen Twistfaden ab und zwirbelte
ihn durchs Nadelöhr. »Wer nicht dumm ist, kann in
der Schule allerlei Brauchbares lernen. Das andere
vergißt man wieder. Ich verdanke der Schule jedenfalls eine ganze Menge. Du bist doch nicht dumm,
Professor. Meiner Meinung nach ist die Schule nicht
gut und nicht schlecht. Sie ist das, was man daraus
macht. So verhält es sich überall, im Beruf, in der
Ehe, in der Freundschaft, überall. Es liegt an dir
und nicht an der Schule. Machst du etwas daraus,

27

dann brauchst du dir nicht den Magen zu verderben.«

»Zeitverschwendung«, sagte der Professor.

Wieder legte mein Vater den Finger auf sein Knie: »Lockt es dich denn kein bißchen, denen den Spaß zu versalzen, diesem Kallebumms und allen? Hast du denn keinen Ehrgeiz in dieser Richtung?«

»Nein«, sagte der Professor.

Meine Mutter wollte wissen, ob seine Eltern ebenso dächten wie er.

»Da meine Eltern es nicht lieben, von jemandem zu etwas gezwungen zu werden, vermeiden sie es auch, andere zu etwas zu zwingen, schon gar nicht ihre eigenen Kinder.« Er wußte auf alles eine Antwort.

»Merkwürdig«, sagte meine Mutter. Sie sah ihn eine Weile an und schüttelte ein bißchen den Kopf.

Es bedurfte noch einer ganzen Reihe von Gesprächen, ehe wir den Professor so weit gebracht hatten, daß er unser Ansinnen nicht mehr von vornherein ablehnte, sondern es wenigstens einer Überlegung wert erachtete. Damit war schon einiges gewonnen. Am ehesten hörte er noch auf meine Mutter. Ich glaube, er spürte, daß hinter ihren Worten, mochten sie auch nicht so klingen, eine warme Empfindung stand. Aber mein Vater verfügte über das stärkere Druckmittel: die Tischlerei und seine vielfältige Hilfe. Zog er seine Hand von uns ab, dann waren wir, daran gab es keinen Zweifel, geschlagene Leute. Er ging, als der Professor hartnäckig blieb, dazu über, etwas Derartiges, wenn auch nur dunkel, in Aussicht zu stellen. Diese Andeutungen stimmten den Professor nachdenklich. Vielleicht trug ich ein wenig dazu bei, seine Nachdenklichkeit zu vertiefen. Ich wies ihn, sooft ich nur konnte, darauf hin, daß es mit unserer Zusammenarbeit und Freundschaft wohl ein Ende haben werde, jedenfalls in dieser Form, wenn er die Schule verlassen und einen Beruf ergreifen müsse. Er bestritt es zwar, aber ohne rechte Überzeugung, denn er wußte ganz gut, daß der Gleichklang, den die Schule in unser Leben brachte, die Gemeinsamkeit von Freud und Leid, die Gespräche in den Pausen, das ganze Beieinander und Miteinander, daß der Alltag der Schule wenn auch nicht den Inhalt, so doch die Grundlage unserer Freundschaft bildete.

Dann war es wieder mein Vater, der ihm zusetzte: »Wenn du außer den beiden Zweien in Mathematik und Physik noch eine Drei im Griechischen und im Deutschen erreichst, dann kannst du dir im Lateinischen eine Vier erlauben. Nur keine Fünf. Mit einer Fünf im Lateinischen bist du verloren.« Damals galt die Fünf als die schlechteste Note. An sich hätte eine Drei im Lateinischen eher im Bereich der Möglichkeit gelegen als eine Drei im Griechischen. Aber die Unterredung meines Vaters mit Kallebumms war nicht gut verlaufen. Kallebumms hatte sich als ein unzugänglicher und kaltherziger Mann erwiesen, als ein, wie mein Vater sich ausdrückte, verdorrter Feigenbaum, den man abhauen und dem höllischen Feuer widersetzte sich nicht, als meine Mutter dazu überging, ihm die lateinischen Phrasen abzuhören. Aber er konnte nicht verhindern, daß am Schluß des Zeugnisses zu lesen war, die Versetzung zu Ostern sei zweifelhaft. Diese Drohung wäre meiner Meinung nach nicht nötig gewesen. Seine offensichtliche Sinnesänderung und Bemühung mußten den Lehrern doch aufgefallen sein. Wahrscheinlich hatte er die Anmerkung einzig und allein Kallebumms zu verdanken. Es kam mir so vor, als sei sie mit besonderer Genugtuung niedergeschrieben worden. Lediglich der Griechischlehrer hatte dem »Mangelhaft« ein »Teils besser« hinzugefügt.

Mehr habe er nicht erwartet, sagte mein Vater.

In den Weihnachtsferien arbeiteten wir wieder an der »G1«, ohne dabei ein Wort über die Schule zu verlieren. Wir stellten die Teile in der Tischlerei her, brachten sie auf unseren Rädern in die Veranda des Professors und setzten sie dort zusammen. Die Veranda war natürlich nicht geheizt, aber das machte uns nichts aus. Als die Ferien zu Ende gingen, hatten wir das Rumpfgerüst und sämtliche Profile der Tragflächen fertig. Dann hieß es für den Professor, abermals in den sauren Apfel zu beißen. Auch hier bewährte sich seine Beharrlichkeit. Was er einmal anfing, führte er auch durch. Die Leistungen besserten sich von Woche zu Woche. Zwar betrachteten die Lehrer die unerwartete Wandlung mit einem gewissen Mißtrauen, was ich ihnen auch zubilligte, aber sie erkannten an, wenngleich zögernd, was anzuerkennen war. Schon im Februar schien das »Genügend« im Griechischen gesichert zu sein. Der Professor hatte einen klaren Kopf. Lediglich Kallebumms blieb mißtrauisch. Er benutzte jede Gelegenheit, um dem Professor das Leben schwer zu machen. Einem Lehrer ist so etwas ja möglich, ohne daß er sich nach außen hin etwas vergibt. Und an Gelegenheiten fehlte es nicht. Denn der Professor verstand sich gerade ihm gegenüber zu keiner Nachgiebigkeit. Wenn es auch kaum noch vorkam, daß er eine der aufgegebenen Phrasen nicht wußte, so hielt er doch nach wie vor mit seiner Kritik nicht zurück und wies es nach wie vor von sich, auf ein Bleistiftzeichen hin einen leiernden Gesang anzustimmen. Die täglichen Plänkeleien dauerten fort. Ich hatte den Eindruck, als warte Kallebumms mit einer hämischen Freude darauf, daß der Professor ihm wieder Anlaß gebe, etwas Nachteiliges in sein gefürchtetes Merkbüchlein einzutragen, das sich dann entsprechend auf die Zeugnisnote auswirken würde. Die Abneigung, die ich von Anfang an gegen ihn hatte, verwandelte sich mehr und mehr in Haß. Und der Haß wurde widersinnigerweise um so größer, je unbegreiflicher der Professor sich aufführte. Beim Entstehen von Gefühlen waltet keine Folgerichtigkeit vor, weder bei jungen noch bei alten Menschen.

In meiner Not bat ich meinen Vater, er möge doch auf den Professor einwirken, daß er Kallebumms nicht unnötig reize, sonst seien alle bisherigen und weiteren Bemühungen vergeblich. Kallebumms habe nun einmal sein Schicksal in der Hand. Mein Vater war auch sofort dazu bereit. Aber der Professor brauchte ihn nur, nachdem er seine Ermahnungen angehört hatte, zu fragen, ob er seinerseits einen am Tage liegenden Unsinn gutheißen oder zum Takt eines Bleistifts Phrasen herunterleiern würde, um ein uneingeschränktes Nein zu erhalten.

»Es gibt schließlich Grenzen«, sagte mein Vater.

Und der Professor fügte mit einem entwaffnenden Lächeln hinzu: »Sunt certi denique fines.«

Ich stand auf und schlug mit der Faust gegen die Wand. Beinah wäre ich in Tränen ausgebrochen vor Zorn. »Ihr seid beide ... ach, ich weiß nicht ... ihr seid verrückt, alle beide, du auch, Vater!«

Die erste lateinische Klassenarbeit des Professors war völlig danebengegangen. Die zweite bewertete Kallebumms mit »mangelhaft«, obwohl sie ein »Genügend« verdient hätte. In die dritte baute er so viele Fallen ein, daß die ganze Klasse daran scheiterte. Selbst Abbi, der weitaus beste Lateiner, unter dessen Arbeiten mit schöner Regelmäßigkeit »sehr gut« stand, brachte es nur auf ein »Genügend«. Er und andere konnten es sich freilich leisten, einmal danebenzuhauen. Aber für den Professor bedeutete das zweite »Ungenügend« den Anfang vom Ende. Und das hatte Kallebumms wohl auch beabsichtigt. Den Todesstoß würde er ihm, daran zweifelte ich nicht, am nächsten oder übernächsten Donnerstag versetzen. Er hatte den Brauch eingeführt, diejenigen Schüler, für die ein »Sehr gut«, und die andern, für die ein

33

»Ungenügend« in Frage kam, zwei bis drei Wochen vor der Zeugnisverteilung in den Schwitzkasten zu nehmen, wie wir es nannten, das heißt sie einer letzten und gründlichen Ausfragung zu unterwerfen, um sich dann endgültig für die eine oder die andere Note zu entscheiden. Ein Verfahren, das seiner genauen Art entsprach und an dem es meiner Meinung nach nichts auszusetzen gab.

Diese Sonderprüfungen pflegte er jeweils während des Nachmittagsunterrichts abzuhalten, den wir einmal in der Woche, eben am Donnerstag, hatten. Ob er am ersten Donnerstag die Anwärter auf das »Sehr gut« und am zweiten die »Fünflinge« befragen würde oder umgekehrt, blieb bis zuletzt im ungewissen. Die Musterschüler sahen dem Tag mit Gelassenheit entgegen, weil sie schlimmstenfalls mit einem »Gut« vorliebnehmen mußten, was sich würde ertragen lassen. Aber den Schlechten stand er bevor wie das Jüngste Gericht. Sie erwarteten ihn, wenn auch nicht mit Heulen, so doch mit Zähneklappern.

Meinem Vater, meiner Mutter und mir ging es natürlich nicht viel besser, wenngleich wir andererseits froh sein mußten, daß Kallebumms sich so etwas ausgedacht hatte. Der schreckliche Tag war unsere letzte, unsere allerletzte Hoffnung, an die wir uns wie an das berühmte Strohhälmchen klammerten. Mit vereinten Kräften bereiteten wir den Professor auf die Entscheidungsstunde vor. Alles andere blieb liegen. Es gab an den Nachmittagen und Abenden nur noch Grammatik, Syntax, Phrasen, Vokabeln und

Sallusts »De conjuratione Catilinae«. Bei so viel Hilfsbereitschaft mochte der Professor, der ruhig und ernsthaft blieb wie immer, nicht zurückstehen. Unter Seufzen und Kopfschütteln machte er mit, wahrscheinlich mehr im Hinblick auf die »G1« als aus Überzeugung, aber er machte mit. Selbst meine zurückhaltende Mutter konnte nicht umhin, seine Bereitwilligkeit anzuerkennen. Dennoch verhehlten wir uns nicht, daß aus dem Strohhälmchen allenfalls ein Strohhalm wurde, mehr nicht. Allzuweit klafften die Lücken, und allzu schnell verging die Zeit. Wenn er doch nur nicht schon am kommenden, sondern erst an dem darauffolgenden Donnerstag geprüft werden würde! Dann hätten wir eine ganze Woche gewonnen. Und wirklich — das Glück stand ihm zur Seite. Kallebumms befaßte sich zuerst mit den Sehr-gut-Leuten. Wir holten Atem und verstärkten die Vorbereitungen noch. Denn bei den Probeprüfungen, die wir veranstalteten, hatte der Professor mehr Veranlassung, in seinem Haarwirbel herumzuwühlen, als uns lieb war. Sein Wissen erwies sich nach wie vor als erschreckend gering. Weil wir annahmen, daß Kallebumms hart mit ihm umspringen werde, benötigten wir buchstäblich jede Minute der noch vor uns liegenden Woche zur Arbeit.

Da wurde am Sonnabendnachmittag ein Flieger zu einer Notlandung auf dem Kleinen Hagen gezwungen.

Wenn in jenen Tagen ein Flugzeug über unser Städtchen hindröhnte, was zwei- oder dreimal im

Jahr vorkommen mochte, dann ließen die Menschen alles stehen und liegen, stürzten auf die Straße und starrten mit Staunen und Grauen zu dem merkwürdigen Ding empor, das durch die blaue Luft oder unter den Wolken dahinzog. Es war kaum zu glauben, daß ein Mensch darin saß und es nach seinem Willen lenkte. Selbst in der Schule wurde der Unterricht unterbrochen. Die Erregung, die von dem Flugzeug ausging, war zu groß, als daß die Lehrer sich ihr hätten entziehen können. Nur Kallebumms blieb ungerührt. Er lehnte es ab, den Vorfall zur Kenntnis zu nehmen. Und seine Herrschergewalt war stark genug, um uns auf den Plätzen zu halten. Wir durften nicht einmal die Köpfe nach dem Fenster drehen. Dies war eine Lateinstunde und kein Anschauungsunterricht in neumodischem Firlefanz. Überflüssig, zu sagen, daß der Professor jedesmal so ausgiebig durchs Fenster spähte, wie es ihm beliebte. Er reckte sogar seinen Kopf, um den Punkt am Himmel möglichst lange verfolgen zu können.

Das Flugzeug, das auf dem Kleinen Hagen hatte niedergehen müssen, war zunächst, wie die andern auch, über unsere Stadt hinweggezogen, hatte dann aber gewendet und sich eine leidlich ebene Fläche zum Landen ausgesucht. Wir erfuhren es erst, als wir aus der Schule kamen. Der Professor hatte allerdings schon in der Pause zu mir gesagt, mit dem Motor sei etwas nicht in Ordnung gewesen, er habe unregelmäßig gebrummt.

Kaum war ich nach Hause gekommen, da rief er

mich an und fragte, ob ich die tolle Nachricht von der
Landung schon gehört habe. Er sause sofort mit dem
Rad los. Auf meine Gegenfrage, wie er es denn mit
dem Mittagessen halte, bekam ich keine Antwort
mehr. Er war bereits unterwegs. Zu meinem Ärger
bestand meine Mutter auf das entschiedenste darauf,
daß ich meine Kartoffelsuppe bis auf den letzten Rest
auslöffelte, ehe ich mich aufs Rad schwingen durfte.

Im Norden unserer Stadt erstreckte sich, gleich-
laufend mit dem Fluß, ein langer Hügel, vielleicht
fünfzig Meter hoch, der auf der einen Seite steil zur
Niederung abfiel, während sich sein weiter Rücken
auf der anderen Seite allmählich senkte und, jenseits
einer Straße, in die Äcker des nahen Dorfes überging. Manchmal wanderte ein Schäfer mit seiner
Herde darüberhin, und manchmal übten die Rekru-
ten unseres Infanterieregiments mit Sprung-auf-
marsch-marsch, Hinwerfen und neuem Sprung das
Vortragen eines Sturmangriffs.

Dort hatte der Flugzeugführer seine Maschine auf-
gesetzt.

Als ich über die holprige Grasfläche fuhr, schlug
mir das Herz bis in die Kehle hinauf. Zum ersten
Male in meinem Leben sollte ich ein richtiges Flugzeug aus der Nähe sehen. Noch wurde es von den
Leuten verdeckt, die darumherum standen. Ich jagte
heran, legte mein Rad auf die Erde und drängte mich
durch den Kreis der Zuschauer. Und da hatte ich die
Maschine vor mir. Seiner Bedeutung bewußt, wachte
ein Gendarm darüber, daß niemand sie berührte. Von

Zeit zu Zeit warf er einen unwilligen Blick auf den Professor, der mit einem Schraubenzieher am Motor herumtastete und dabei dem Flugzeugführer, einem Mann mit ölbefleckter Lederjacke, Wollschal, verkehrt herum aufgesetzter Sportmütze und hochgeschobener Schutzbrille, etwas vorschlug. Der Angeredete nickte verdrossen vor sich hin, sah den Professor kurz an und starrte wieder vor sich hin.

Es wunderte mich nicht, daß der Professor sich so schnell bei dem Flugzeugführer durchgesetzt hatte und mit ihm umging wie mit seinesgleichen. So hielt er es nun einmal mit den Menschen. Aber die Maschine enttäuschte mich. Sie war viel derber und einfacher gebaut, als ich sie mir vorgestellt hatte. Da und dort saß auf der fahlgelben Tragflächenbespannung ein Flicken. Die Spanndrähte und die Drähte, die zum Leitwerk führten, gingen einfach durch ausgefranste Löcher in der Rumpfverkleidung. Um den Motor herum triefte alles von Öl und öligem Auspuffruß. Die Hände des Professors sahen auch schon dementsprechend aus.

Nur der polierte Propeller glänzte wie ein Spiegel und war von Kraft und Mystik umwittert. Zwischen dem V-förmigen Fahrgestell hing eine Art Mulde, die den Sitz darstellte, von dem aus man die verschiedenen Bedienungshebel bequem erreichen konnte. Das Ganze machte den Eindruck von etwas Unfertigem, ja Nachlässigem. Aber wenn ich mir vorstellte, daß auf diesem Sitz ein Mensch Platz genommen hatte und mutterseelenallein zwei- oder dreihundert Meter hoch durch die Luft geflogen war, dann durchschauerte es mich von oben bis unten. Nichts konnte aufregender sein als dies.

»Da ist er ja«, sagte der Professor, als er mich bemerkte. »Komm her!« Er winkte mich mit dem Schraubenzieher heran. »Sein Vater kann uns helfen.«

Der Gendarm wollte mich zurückhalten. Aber da der Flugzeugführer, der übrigens Kettler hieß, Ewald Kettler, mir den abgespreizten kleinen Finger seiner geschwärzten Hand entgegenstreckte, ließ er mich gewähren. Man sah ihm an, daß er sich über den Professor und mich ärgerte. Ich hingegen war stolz darauf, daß der Flugzeugführer mir vor allen Leuten seinen kleinen Finger gegeben hatte. Aber gleichzeitig schämte ich mich meiner Unbedeutendheit.

Herr Kettler sagte, das Stottern des Motors könne nicht nur von der gerissenen Muffe herrühren, es müsse noch an etwas anderem liegen. Wahrscheinlich am Vergaser.

»Bauen wir aus«, sagte der Professor. »Wenn ihm etwas fehlt, gehen wir zu seinem Vater. Der hilft uns.« Er zeigte auf mich.

Herr Kettler meinte, das sei noch die Frage.

»Doch«, sagte ich, »mein Vater interessiert sich für so etwas.«

»Er hat eine erstklassige Fabrik«, sagte der Professor. »Sie dürfen sich darauf verlassen, daß er uns hilft. Wir sind befreundet, sein Vater und ich.«

»Kann auch an der Pumpe liegen«, sagte Herr Kettler.

»Möglich. — Haben Sie eine Schnellzange da?«

»Mach' ich lieber selbst. — Ihr seid schon zwei Kadetten. Zum Lachen so was.« Er kramte in seinem blechernen Werkzeugkasten herum, schwang sich auf die Tragfläche und fing mit dem Ausbauen des Vergasers an.

Der Professor ließ sich, verfolgt von den Augen des Gendarms, in der Sitzmulde nieder und zeigte mir, wie die Steuerung zu handhaben sei. »Und jetzt paß auf!« Er zog, indem er den Haupthebel nach rechts und nach links führte, an zwei Drähten, die mit ihm verbunden waren. »Das haben wir nämlich noch nicht gewußt.«

Ich folgte den Drähten und sah, daß sich die Enden der Tragflächen etwas bogen, das eine nach oben, das andere gleichzeitig nach unten. Und bei der Gegenbewegung umgekehrt.

Das nenne man Verwindung, sagte der Professor. Sie sei überhaupt das Wichtigste beim Fliegen. »Dient zum Stabilisieren der Drehung um die Längsachse. Wir müssen die Flächen der ›G1‹ verändern. Die Kinderschaukel hier taugt aber nicht viel. Eine Fehlkonstruktion. Sieh dir nur die Spanndrähte an!«

»Was hast du gegen die Drähte?« fragte Herr Kettler, während er eine Mutter losdrehte.

»Luftwiderstand.«

»Diese dünnen Drähte?«

»Diese dünnen Drähte schwingen im Luftstrom und wirken dann wie Bretter.«

»Was du nicht alles weißt.«

Der Gendarm stimmte Herrn Kettler mit höhnischem Lachen zu.

»Ich weiß noch eine ganze Menge, was die Leute, die diese Maschine gebaut haben, nicht zu wissen scheinen.«

»Sieh mal an.«

»Der tiefliegende Sitz ist Unsinn.«

»Sieh mal an.«

»Der Herr wird das wohl besser wissen«, sagte der Gendarm, »als du mit deinem grünen Schnabel.«

Der Professor zog nur die Augenbrauen ein bißchen hoch, ehe er fortfuhr: »Bei seitlichen Windstößen bringt er die Maschine zum Pendeln.«

»Sieh mal an. – Das heißt...« Herr Kettler hörte mit Arbeiten auf. »Sie pendelt tatsächlich. Ich habe denen im Werk schon ein paarmal gesagt, sie sollten das verdammte Pendeln abstellen. Nein, nicht zu machen.«

»Solange sie den Sitz unten lassen, können sie es nicht abstellen.«

»Aber wenn ich mich mit meinen hundertachtzig Pfunden da unten hinhocke, ziehe ich die Maschine doch automatisch wieder in die Waagerechte.«

»Irrtum. Ich werde Ihnen das nachher mal aufzeichnen. Eine gute Maschine braucht einen hohen Schwerpunkt.«

»Mir neu«, sagte Herr Kettler.

Es stellte sich heraus, daß er von den physikalischen Grundlagen des Fliegens nichts verstand und auch nichts verstehen wollte. Bis vor zwei Jahren war er Radrennfahrer gewesen. Dann hatte ihn das Fliegen gelockt. Nur das Fliegen, sonst nichts. Was er konnte, hatte er sich selbst beigebracht. Seit einiger Zeit führte er im Auftrag seines Werkes Schauflüge durch. Ein verwegener Mann, ein Mann vor allen Dingen, der das besaß, was uns fehlte: Erfahrung.

»Wie fangen Sie denn das Pendeln auf?« fragte der Professor ihn.

»Ich gebe nach und gehe demgemäß in die Kurve.«

»Sieh mal an«, sagte der Professor. »Hilft es was?«

»Manchmal. Was würdest du denn machen?«

»Eine andere Maschine nehmen. Ich will Ihnen nachher mal zeigen, wie eine gute Maschine aussehen muß.«

»Das hilft mir einen Dreck. — Wo ist der kleine Schraubenschlüssel? Nein, der ganz kleine. Ja, der. — Ich habe nun mal diese Maschine am Hals.«

»Meine pendelt nicht. Vielleicht interessieren sich Ihre Leute in Frankfurt dafür.«

»Die sollen sich von einem Schuljungen was erzählen lassen? Zum Lachen. Was für eine Maschine denn? Wie groß denn?«

Der Professor breitete seine Arme aus: »Einsvierzig etwa.«

»Ach du Bimbam! Ein Modell! Ich pfeife auf Modelle.«

»Es pendelt jedenfalls nicht. Vielleicht können Sie auch bei uns übernachten.«

»Hört sich schon besser an. Aber erst muß ich mit

seinem Vater sprechen.« Er zeigte mit dem Schraubenschlüssel auf mich. »Wie heißt er?«

Der Professor nannte meinen Namen.

»Wie weit ist es bis zu eurer Fabrik?«

»Mit dem Rad keine Viertelstunde«, sagte ich. »Kaum zehn Minuten. Sie können meins nehmen.«

»Wollen erst mal sehen, was wir herausfinden.«

Sie fanden heraus, daß weder dem Vergaser noch der Pumpe etwas fehlte.

Vom Motor schien Herr Kettler gleichfalls nicht viel zu verstehen.

»Ventil?« fragte der Professor.

Sie schraubten einen Zylinderkopf nach dem andern ab. Beim dritten Zylinder waren die Federn beider Ventile und ein Kipphebel gebrochen. Herr Kettler betrachtete die Bruchstücke auf seinem Handteller, richtete seine Augen auf den Professor und auf mich und betrachtete dann wieder die Bruchstücke. Er verstand die Welt nicht mehr.

»Materialmüdigkeit«, sagte der Professor.

Wenn nur eine Feder gebrochen wäre, wollte Herr Kettler das wohl glauben. Aber gleich zwei und dann auch noch der Kipphebel? Zum Lachen.

Der Hebel ließ sich allenfalls in der Fabrik anfertigen. Allerdings erst am Montag. Wegen der Federn mußte Herr Kettler mit dem Stuttgarter Werk telefonieren. Und dann konnte der Hebel ja auch gleich mitgeschickt werden.

»Wir haben seinen Vater nicht nötig. Ohne die Federn hilft uns der Hebel nichts.«

»Wir fahren trotzdem hin«, entschied der Professor. »Er kennt alle Werkstätten in der Stadt. Außerdem kann er uns wahrscheinlich sagen, wie die Brüche zustandegekommen sind.«

»Interessiert mich nicht«, sagte Herr Kettler. »Mich interessieren neue Federn, weiter nichts.« Dennoch fügte er sich. Er auch. Mir hätte er sich nicht gefügt. Aber der Professor erreichte alles, was er wollte. Und er erreichte es wie beiläufig. Es kam ihm gar nicht in den Sinn, daß jemand ihm widersprechen könne. Seine Entscheidungen waren immer durch die Sache bestimmt, um die es ging.

Vorsichtshalber schraubte Herr Kettler auch den vierten Zylinderkopf noch ab. Aber dort war alles in Ordnung. Er sprach mit dem Gendarm, der dann seinerseits mit Donnerstimme verkündete, vor Montag werde die Maschine nicht fliegen. Daraufhin wandten sich die meisten Zuschauer zum Gehen. Viele waren es sowieso nicht mehr. Ich konnte nicht verstehen, daß sich nur so wenige eingefunden hatten. Wann würde unserer Stadt so etwas wieder geboten werden? Vielleicht nie. Herr Kettler bedeckte den Motor mit einer öligen Persenning und zog eine Schutzhülle über den Propeller, die er sorgfältig verschnürte. Dann schwang er sich auf mein Rad und fuhr mit dem Professor davon. Ich ging zu Fuß hinterher.

Während der Beschäftigung mit dem Flugzeug hatte ich alles andere vergessen. Aber jetzt wogte mit einem Male ein brennendes Erschrecken durch mich hindurch. Was sollte denn nun aus dem Donnerstag werden und aus den Vorbereitungsarbeiten? Es kam doch auf jede Stunde an. Heute würde der Professor kein Buch mehr aufschlagen, das war ausgemacht. Aber morgen und übermorgen auch nicht. Solange die Maschine auf dem Kleinen Hagen stand und solange er die Möglichkeit hatte, mit Herrn Kettler zu reden, konnte keine Macht der Welt ihn dazu bringen, in seinem Zimmer zu sitzen und seine Kenntnisse in lateinischer Grammatik zu vervollkommnen. Ich wußte es. Die Maschine und Herr Kettler bedeuteten mehr für ihn als alles andere, mehr noch als die »GI«. Oh, ich wußte es. Meine und meiner Eltern Mühe war vergebens gewesen. Wir hatten das Spiel verloren. Was sollte denn nun werden?

Zu Hause fand ich sie um den Wohnzimmertisch versammelt, Herrn Kettler, meinen Vater und den Professor. Der Kipphebel und die eine Feder lagen auf einer aufgeschlagenen Zeitung. Mein Vater war gerade dabei, von der andern mit einer Dreikantfeile ein Stück abzutrennen, um die Bruchstelle unter sein Mikroskop legen und untersuchen zu können. Während des Feilens erörterte er mit Herrn Kettler die Aussichten, in unserer Stadt Ersatzfedern zu beschaffen. Wenn es sich nicht um einen Spezialmotor gehandelt hätte, wäre Hoffnung gewesen, so aber kaum. »Sie müssen auf jeden Fall mit Stuttgart telefonieren.«

»Wo kann ich mal?« sagte Herr Kettler. »Wahrscheinlich sind die Brüder längst nach Hause gegangen. Samstagnachmittag. Da sind sie längst weg. Höchstens, daß Herr Megerle noch in seinem Kontor sitzt. Es käme auf einen Versuch an.«

Mein Vater sagte, ich solle Herrn Kettler das Telefon zeigen. »Wissen Sie die Nummer?«

Er wußte sie. Aber in Stuttgart meldete sich niemand. Beim Anhängen des Hörers stieß Herr Kettler ein Wort hervor, das damals noch als sehr unanständig galt. Unwillkürlich sah ich mich um, ob meine Mutter nicht in der Nähe war.

Die mikroskopische Untersuchung ergab, daß kein Materialfehler vorlag.

»Ermüdung«, sagte der Professor nocheinmal und wühlte in seinen Haaren.

Herr Kettler wollte nichts davon wissen. »Was heißt Ermüdung? Und wenn auch, das hilft mir ja nicht weiter. Ich brauche zwei neue Federn und einen Kipphebel. Dann muß ich eben telegrafieren. Die Post ist natürlich schon geschlossen. Zum Lachen.«

Mein Vater sagte, bei uns könne man zu jeder Tages- und Nachtzeit telegrafieren.

»Also los«, sagte Herr Kettler. »Besten Dank für Ihre Mühe. Und nun los!« Er wandte sich an den Professor: »Kann ich wirklich bei euch unterkommen? Ich brauche nicht viel.«

»Kein Problem«, sagte der Professor.

Sie verabschiedeten sich und machten sich auf den Weg. Der Professor schob sein Rad neben Herrn Kettler her.

Von der Vorbereitung auf den Donnerstag war mit keinem Wort die Rede gewesen.

Es kam genau so, wie ich befürchtet hatte. Sogar noch etwas schlimmer. Auch mein Vater geriet in den Bann des notgelandeten Flugzeugs. Am Sonntagnachmittag wanderte er zum Kleinen Hagen und betrachtete die Maschine von allen Seiten. Dann nahm er, nachdem er sich von Herrn Kettler die Handhabung hatte erklären lassen, in der Ledermulde Platz, wenn auch reichlich ungeschickt, und betätigte die Steuerhebel, wobei er mit gesammeltem Blick in die Ferne spähte, als gelte es, den Ozean zu überfliegen. Nachher gab er denn auch der Überzeugung Ausdruck, es handele sich um ein großartiges Flugzeug. Da mochte der Professor noch so viel von einer Fehlkonstruktion reden, das Urteil meines Vaters stand fest. Er hatte die Maschine ja selbst erprobt. Ob Herr Kettler ihm die Freude machen wolle, heute abend sein Gast zu sein?

Herr Kettler war so frei.

Nach dem Abendesen versuchte der Professor, uns mit vielen hingeworfenen Zeichnungen zu beweisen, daß die Maschine auf dem Kleinen Hagen keine Zukunft habe. Gewiß, sie fliege, aber sie fliege schlecht.

Herr Kettler legte den Kopf in den Nacken, blies den Rauch seiner Zigarre zur Decke empor und konnte es nicht abstreiten. Um so heftiger stritt mein Vater es ab. Seine Liebe war noch zu neu.

Und die Gefährdung des Fliegers beim Landen.

Herr Kettler gab dem Professor recht.

Und der Luftwiderstand der Spanndrähte. Und die ungünstige Schwerpunktlage. Und das viel zu schlanke Tragflächenprofil.

Auch das gestand Herr Kettler zu.

Lateinische Grammatik, Phrasen, Sallust ... vergessen und verschollen. Herrn Kettler traf keine Schuld. Aber was dachte sich der Professor, was dachte sich mein Vater eigentlich? Schließlich fragte meine Mutter von ihrem Nähtisch her, wie es denn weitergehen solle.

»Womit?«

»Mit dem Lernen.«

»Ach so. Aber doch heute abend nicht mehr.«

Es stünden nur noch drei Tage, nur noch drei halbe Tage zur Verfügung.

»Also morgen.«

Am Montagabend fragte ich meinen Vater, ob er noch einen Rat wisse. Ich sei am Ende.

Der Professor hatte den ganzen Nachmittag auf dem Kleinen Hagen verbracht und bei Herrn Kettler Flugunterricht genommen, soweit es auf einer stehenden Maschine möglich war. Immer wieder mußte Herr Kettler sich wundern, daß jemand, der noch nie in einer Maschine gesessen hatte, so kundige Fragen stellte. Vor allen Dingen wollte der Professor alles und jedes über das Landen wissen.

»Das ist nämlich das schwerste«, sagte Herr Kettler. »Die meisten denken, am schwersten täte man

48

sich oben in der Luft. Zum Lachen. Das schwerste ist das Landen. Du mußt mal aufpassen, wie die Vögel es hinkriegen. Davon kannst du was lernen. Nicht zu steil und nicht zu flach. Mit beiden Rädern und mit dem Sporn zugleich aufsetzen. Eine saubere Dreipunktlandung. Schön. Und dann fegt eine Bö über den Boden hin, und du kannst sehen, wo du mit deinen drei Punkten bleibst.«

Ich hatte dabeigestanden und war hin und her gerissen worden. Was Herr Kettler und der Professor miteinander verhandelten, fesselte mich doch gleichermaßen. Ich sog es ein, es berauschte mich. Und gleichzeitig wußte ich, daß es meine Freundespflicht war, den Professor wegzuziehen und zu seinen Büchern zu schleppen. Ich versuchte es auch ein paarmal. Aber der Professor hörte gar nicht hin. Das hatte ich schon im voraus gewußt.

Jetzt saß er zu Hause und besprach sich mit Herrn Kettler darüber, wie an den Flügelenden unserer »G1« eine wirksame Verwindung angebracht werden könne. Und morgen, wenn die Federn und der Kipphebel eingetroffen wären, wollte Herr Kettler ein paar kleine Flüge unternehmen. Nur ein paar Meter über dem Erdboden. Nur zur Anschauung. Der Professor mußte ihm beim Starten behilflich sein. Morgen bestand noch weniger Aussicht als heute, daß der Professor zum Lernen kam. Ganz abgesehen davon, daß es schon zu spät war.

Wie es in seiner Art lag, nahm mein Vater die Sache viel zu leicht. »Wenn du mich fragst, dann schlage ich vor, daß er am Donnerstag krank wird, aber richtig mit Röcheln und mit Fieber und allem. Du weißt doch, wie man das Quecksilber in einem Thermometer zum Steigen bringt?«

»Ach, Vater, damit ist ihm doch nicht geholfen. Er muß doch seine Chance wahrnehmen. Die Prüfung ist doch sein Strohhalm. Aber er fällt ja durch. Das ist es doch.«

»Ich verstehe dich nicht. Wenn er am Donnerstag krank ist, kann er am Donnerstag nicht durchfallen. Kein Grund zur Aufregung. Er wird erst dann wieder gesund, wenn er das Versäumte nachgeholt hat.«

»Nein, nein, nein, du kennst Kallebumms nicht. Er prüft nur an diesem Donnerstagnachmittag. Und sonst nicht. Nur ein einziges Mal. Wer dann nicht da ist, hat eben verspielt. Das ist es doch. Der Professor muß Donnerstag in der Schule sein. Unbedingt. Nur ... du weißt doch selbst, wie nötig er diese letzten Tage noch zum Pauken gehabt hätte. Jede Viertelstunde, jede Minute. Stattdessen ... du weißt es doch selbst. Ob er hingeht oder ob er fehlt, er ist verloren.«

Mein Vater spielte eine Weile mit seiner Warze, dann sah er mich an. »Ein Mensch ist nur dann verloren, wenn er sich selbst verloren gibt. Das mußt du dir merken. Wäre ich jedesmal verloren gewesen, wenn ich verloren war, dann wäre ich längst verloren. Mit anderen Worten: Wir brauchen nur dafür zu sorgen, daß die Prüfung um eine Woche verschoben wird, dann ist alles wieder in der Reihe.«

»Wie willst du das denn fertigkriegen? Ja, natürlich, das wäre ein Ausweg. Aber Kallebumms wird dir was husten, wenn du ihn besuchst. Willst du ihn wirklich noch einmal besuchen?«

»Nicht um die Welt. Ich habe genug von damals. Mit Vernunft und guten Worten kann man bei so einem Übelmeyer nichts ausrichten. Da muß schon etwas anderes her. Gewalt. Wie wäre es, wenn ihr zum Beispiel eine Bombe hochgehen ließet? In der Klasse.«

»Was für eine Bombe?«

»So einen Kanonenschlag wie in der Silvesternacht.«

»Tjajaja, das wäre was.« Ich lachte in mich hinein. »Aber in jeder . . .«

»Unter dem Stuhl von Kallebumms.«

»Ach du liebe Zeit! Der fällt ja tot um vor Schreck. Außerdem kommt es heraus. Du kannst dich darauf verlassen, daß es herauskommt. In jeder Klasse gibt es so ein paar Armleuchter, die nicht dichthalten. Bei uns auch. Geht nicht, Vater. Ein Kanonenschlag geht nicht.«

»Oder vor der Klassentür.«

Dadurch würde der Unterricht wahrscheinlich nur kurz unterbrochen werden und dann weitergehen. Wenn wir eine Verschiebung erreichen wollten, mußte Kallebumms auf irgendeine Weise beschädigt werden. Nicht viel, aber doch so, daß er an diesem Nachmittag nicht mehr imstande war, zu prüfen. Wir überlegten hin und überlegten her, ohne daß uns etwas Erfolgversprechendes einfallen wollte. Schließlich sagte mein Vater, ein solches Problem müsse man erst einmal beschlafen. Er sei sicher, daß er morgen früh mit einem fix und fertigen Attentatsplan werde aufwarten können.

Er konnte es tatsächlich. Beim Frühstück, das wir allein einnahmen, weil meine Mutter sich schon im Garten zu schaffen machte, fragte er mich, ob ich Mut hätte.

»Doch, ja, Mut, natürlich.«

»Das klingt nicht sehr großartig. Du brauchst nämlich eine ganze Menge Mut.«

»Für meinen Freund habe ich so viel Mut, wie du willst.«

Als er mir dann aber auseinandersetzte, was er sich in der Nacht ausgedacht hatte, ließ ich den Apfel, den ich gerade zum Munde führen wollte, wieder sinken, lehnte mich zurück und fragte ihn, ob das sein Ernst sei.

»Du brauchst Mutter ja nichts davon zu erzählen.«

»Na«, sagte ich und biß in den Apfel. Ich wußte immer noch nicht, was ich von seinem Vorschlag halten sollte. Zwar traute ich ihm, wenn es um die Schule ging, allerlei Wildes und Verwegenes zu, aber so etwas denn doch nicht. Vielleicht fing er gleich an zu lachen und kam dann mit seinem eigentlichen Plan heraus. Dabei war mir durchaus nicht zum Lachen zumute. Ich sah in seine Augen. Sie wiesen keine Spur von Lustigkeit auf. Eher eine gewisse Besorgnis.

52

»Wenn du geschnappt wirst, fliegst du von der Schule. Darüber mußt du dir klar sein.«

»Ich werde nicht geschnappt«, sagte ich. »Und die Sachen besorgst du?«

»Die Sachen sind meine Sache. Du fängst am besten schon heute mit dem Krankwerden an. Je eher du anfängst, um so weniger kommst du in Verdacht.«

»Dann kann ich ja heute nachmittag nicht auf den Kleinen Hagen. Herr Kettler will heute noch, wenn die Federn da sind, ein Schaufliegen veranstalten.«

»Siehst du, es gehört nicht nur Mut dazu, sondern auch Verzichtenkönnen.«

»Das ist hart«, sagte ich.

»Wie das Leben«, sagte mein Vater. »Ich bin dafür, daß wir den Professor draußen lassen. Er ist imstande und verdirbt uns alles.«

»Kann gut sein«, sagte ich. »Vater?«

»Du mußt los. Die Uhr geht schon auf Viertel vor acht.«

»Ich wollte nur sagen: es gibt nicht viele Jungen, die so einen Vater haben.«

»Kann gut sein«, sagte er.

Nachher schämte ich mich, daß ich das gesagt hatte.

Zu Beginn der vorletzten Pause kramte ich so lange in meiner Büchertasche herum, bis alle den Raum verlassen hatten und der Flur vor unserer Klasse leer war. Dann schritt ich die Entfernung von unserer Tür bis zur schräg gegenüberliegenden ab. Sie betrug siebeneinhalb Schritte. Das war getan.

Als wir die Deutschstunde halb hinter uns gebracht hatten, fing ich an, mich zu krümmen und so lange auf meiner Bank hin und her zu rutschen, bis Knate — der Deutschlehrer pflegte »Knate« statt »Gnade« zu sagen, »Ich will noch einmal Knate vor Recht ergehen lassen«, deshalb hieß er so — bis Knate mich fragte, was mit mir los sei.

Ich sagte, es täte mir hier unten an meinem Bauch so weh. Den ganzen Morgen schon. Aber jetzt könne ich es kaum noch aushalten.

»Zeig mal genau, wo es dich schmerzt.«

Ich wischte mit der rechten Hand in der Gegend des Blinddarms über meinen Bauch.

»Da haben wir's«, sagte er. »Du gehst gleich nach Hause. Meinst du, daß du allein gehen kannst?«

»Sicher«, sagte ich.

Trotzdem gab er mir Abbi als Begleiter mit. Er war sehr besorgt. Ich schämte mich schon wieder, aber anders als heute morgen. Die Lügerei war das Unangenehmste an dem ganzen Unternehmen. Beim Hinausgehen vermied ich den Blick des Professors.

Meine Mutter steckte mich ohne weiteres ins Bett und flößte mir eine Medizin ein, die »Weinliche Rhabarbertinktur« hieß. Wann immer und wie immer ich auch erkrankte, ihre Behandlung begann mit diesem braunen Saft und mit Fasten. Sie war eine Frau von Grundsätzen. »Wenn es dir morgen früh nicht besser geht, rufe ich Doktor Schoppe an.«

Nach dem Mittagessen setzte sich mein Vater eine Weile an mein Bett. Ich teilte ihm die Entfernung von Klassentür zu Klassentür mit. Siebeneinhalb Schritte.

»Habe ich mir ungefähr gedacht«, sagte er. Morgen früh wolle er den Kanonenschlag und das Zubehör kaufen. In der Nachbarstadt aus Vorsicht. Donnerstag läge alles bereit. »Du hast ja nun Zeit genug gehabt, dir die Sache noch einmal gut zu überlegen. Wenn du meinst, sie sei zu gefährlich . . .«

»Ich mache es«, sagte ich. »Daß nur der Professor nichts davon erfährt! Hat er noch nicht angerufen?«

»Nein. Dann bleibt es also dabei.«

Ich hörte, wie er draußen zu meiner Mutter sagte, er glaube, es sei etwas mit dem Blinddarm.

Gleich darauf kam der Professor. Viel mehr als über meine Krankheit regte er sich darüber auf, daß ich nicht mit zum Kleinen Hagen konnte. Die Federn seien eingetroffen, als Eilgut, der Kipphebel auch. Wenn alles gutgehe, werde Herr Kettler heute noch ein paar Probeflüge machen, nur so Hopser über den Kleinen Hagen hin, und morgen endgültig abfliegen. Er, der Professor, habe in diesen Tagen ungeheuer viel dazugelernt. Und er hoffe, heute nachmittag noch mehr zu lernen. »Ein Elend, daß du nicht dabei sein kannst. Geht es denn wirklich nicht? Es ist alles noch viel interessanter, als ich gedacht hatte.«

»Es geht nicht«, sagte ich. »Und ob ich möchte! Aber es geht beim besten Willen nicht. Die ganze Brust tut mir weh vor Traurigkeit.«

55

»Ich denke der Bauch?«

»Das ist doch was anderes. Der Bauch ist was anderes. — Du, was wird denn aus Donnerstag?«

»Donnerstag . . .? Ach so. Das hat nichts mehr zu bedeuten. Überhaupt nichts. ›Zum Lachen‹ würde Herr Kettler sagen. Ich sehe am Abend noch einmal herein und erzähle dir alles. Tschüs!«

Ich langweilte mich nicht in meinem Bett. Wenn der Plan auch im ganzen feststand, so gab es doch noch manche Einzelheit zu bedenken. Es kam darauf an, dem Zufall so wenig Spielraum wie möglich zu lassen. Ich erkannte, wie wichtig gerade die Kleinigkeiten waren. Ein kleiner Fehler konnte ebensoviel Unheil anrichten wie ein großer. Zwischendurch horchte ich zum Kleinen Hagen hin, ob dort ein Motorengeräusch laut würde. Aber ich vernahm nichts. Vielleicht hatten sie noch Schwierigkeiten mit den Ventilen, vielleicht lag es auch an dem ungünstigen Wind, der den Schall in die entgegengesetzte Richtung trug.

Als meine Mutter mir am Donnerstag die mit Ei abgerührte Fleischbrühe ans Bett brachte, die Doktor Schoppe mir verordnet hatte, kam mein Vater ins Zimmer und eröffnete ihr, er wolle nachher in die Stadt gehen und sich einen neuen Sommeranzug kaufen. Ein hellgrauer im Schaufenster von Allwart und Möller habe es ihm angetan. Bei seiner guten Figur konnte er es sich erlauben, fertige Anzüge zu tragen.

»Heute paßt es mir aber gar nicht«, sagte meine Mutter.

»Dir? Du brauchst doch nicht dabei zu sein.«

»So etwas mußt du gar nicht sagen. Ich lasse dich doch nicht allein einen Anzug kaufen. Wann wolltest du denn losgehen?«

»Um halb drei. Heute kann ich es gerade in der Fabrik einrichten.«

»Also gut. Dann sollten wir aber auch gleich für mich etwas aussuchen. Ich brauche einen leichten Mantel. Der beigefarbene tut es wirklich nicht mehr. Und wenn du nett bist, bewilligst du mir auch noch einen Sonnenschirm.«

Ich vergaß, meine Brühe zu löffeln. Mein Vater wagte ein Spiel, das mir den Atem verschlug. Wenn meine Mutter nun nein gesagt hätte? Mir ging es wahrhaftig um mehr als um ein Spiel. Es ging mir um den Professor, der mein Freund war, und um mich. Es ging mir um mein ganzes Glück. Aber mein Vater gewann das Spiel.

Sowie meine Eltern das Haus verlassen hatten, schwang ich mich aus dem Bett und zog mich so schnell an, wie ich nur konnte. Zuletzt schlüpfte ich in die Turnschuhe aus braunem Leinen mit schwarzen, geriffelten Gummisohlen. Sie waren wichtig. Nachdem ich noch einen Blick in die Büchertasche geworfen und mich überzeugt hatte, daß nichts fehlte, kletterte ich aus einem nach hinten gelegenen Fenster in den Garten, verließ ihn durch die rückwärtige Pforte und eilte, ohne einer Menschenseele zu begegnen, halb laufend, halb gehend, an Schrebergärten, am Schützenplatz und am Ausbesserungswerk der Eisenbahn vorbei. Als ich aus der Gleisunterführung herauskam, sah ich nach rechts und links, ob auch niemand Bekanntes in der Nähe sei, überquerte dann die Straße und verschwand in den Wallanlagen. Um diese Zeit wurde die mit alten Linden bestandene Promenade kaum begangen. Außer zwei alten Männern mit einem Hund, einem Liebespaar und einem Mädchen, das einen Kinderwagen vor sich her schob, traf ich denn auch keine Seele. Die Wallpromenade führte am Gymnasium vorbei. Wenn ich das Gitter des Schulhofs dort überkletterte, wo es etwas zurücksprang, konnte mich niemand sehen. Dahinter zog sich ein Gebüsch bis an die Schmalseite des Schulgebäudes. Ich tauchte hinein und wußte mich fürs erste in Sicherheit.

Es war neun Minuten nach drei. Ich beschloß, noch etwas zu warten. Während ich mich bemühte, einen zähen Schneebeerenzweig abzudrehen, fragte ich mich, wie dem Professor jetzt wohl zumute sei. Ganz deutlich sah ich sein Gesicht vor mir. Vielleicht hörte Kallebumms ihm gerade eine Phrase ab, und er wußte sie nicht. Er stand da und wußte sie nicht, und es machte ihm nicht das geringste aus. Dann setzte er sich wieder hin und dachte an unsere »G1« oder an Herrn Kettler, der seinen Start gestern zweimal hatte wiederholen müssen, ehe es ihm gelungen war, die Maschine vom Boden abzuheben, oder an mich, den er krank im Bett glaubte. Er war vollständig ahnungslos.

Jetzt begann jener Teil des Unternehmens, der Mut erforderte, Mut und ein bißchen Glück. Ich verließ das Gebüsch und ging so dicht am Schulgebäude entlang, daß ich für jemanden, der zufällig aus dem Fenster blickte, unsichtbar blieb. Dann glitt ich auf weichen Sohlen ins Haus. Eine Begegnung mit Herrn Rennemann, dem Schuldiener, dessen Wohnung im Erdgeschoß links neben der Haupttreppe lag, hätte das Scheitern des Plans bedeutet. Aber kein Rennemann zeigte sich. So wandte ich mich nach rechts, sprang, nachdem ich lautlos den unteren Flur entlanggelaufen war, mit ein paar Sätzen die Treppe hinunter, die an seinem Ende in den Keller führte, und klappte die beiden eisernen Fallriegel des niedrigen Fensters hoch. Während ich die Seitentreppe zum oberen Flur hinaufhastete, fühlte ich, wie das Blut mit harten Schlägen in meinen Schläfen klopfte. Dabei war ich nicht eigentlich erregt. Ich ging so vollständig im Handeln auf, daß ich gar nicht dazu kam, mir meines inneren Zustands bewußt zu werden. Wenn mir jemand begegnet wäre, hätte ich wahrscheinlich mein Tun blindlings fortgesetzt. Es vollzog sich etwas mit mir.

Ohne zu zögern setzte ich meine Tasche auf dem Fliesenstreifen vor unserer Klassentür ab, der die Inschrift trug: NON SCHOLAE SED VITAE DISCIMUS, und holte die beiden vorbereiteten Taue und die sieben Expanderstränge heraus. Hinter der Tür ertönte, etwas gedämpft durch das Holz, die Stimme von Kallebumms: »Den Mut verlieren? — Mundry!«

In seiner quaksenden Sprechweise antwortete Mundry: »Animo deficere — den Mut verlieren, mutlos werden.« Der Bleistift tickte aufs Katheder, und die Klasse stimmte ihren dumpfen Singsang an: »Ánimo de-fícere — den Mút verlieren, mútlos werden.« Ich streifte unterdessen das zu einer Schlinge verknotete Ende des einen Taus über die Klinke der Klassentür und die Schlinge des zweiten über die Klinke der gegenüberliegenden Tür, die etwas nach links gerückt war. Die beiden andern Tauenden, an denen jeweils ein Ring aus kräftigem Draht saß, zog ich zur Mitte des Flurs und überbrückte den Zwischenraum von fast anderthalb Metern, der zwischen ihnen blieb, mit einem Expanderstrang, indem ich den Karabinerhaken in den einen Ring schnappen ließ, das Gummi mit bebenden Muskeln dehnte und sein anderes Ende in den andern Ring hakte. Zwischen Türgriff und Türgriff bestand jetzt eine straffe Verbindung quer über den Flur. Dann kam der nächste Strang an die Reihe, dann der dritte und so fort. Mit jedem Strang wuchs die Zugkraft um ein beträchtliches, bis sie zu der explosiven Stärke von sieben neugekauften Strängen angewachsen war. Sie vibrierten förmlich vor Tatendrang. Ich konnte nur hoffen, daß die Türgriffe den gewaltigen Zug aushielten. Zu Hause hatte ich diese Arbeit in zweiundvierzig Sekunden vollbracht. Hier ging sie mir wahrscheinlich noch schneller von der Hand. Den Kanonenschlag, der aussah wie ein kinderkopfgroßes, vielfach verschnürtes und säuberlich mit bernsteingelbem Lack überzogenes Postpaketchen, legte ich in einiger Entfernung von der Tür nieder, um eine Beschädigung der Taue durch die Detonationsflamme zu vermeiden, und setzte die kurze Zündschnur in Brand.

Die Tasche ergriffen, den Flur entlanggerannt, die Seitentreppe und die Kellertreppe hinuntergefegt, das Fenster aufgerissen und Hals über Kopf hinausgehechtet... Da erschütterte ein harter Donner das Haus. Ich drückte das Kellerfenster von außen zu, schmiegte mich gebückt durchs Gesträuch nach dem Gitter, das ich schnell überwand, und kehrte auf demselben Weg, auf dem ich gekommen war, nach Hause zurück.

Bei den meisten Menschen trocknet der Mund aus, wenn sie etwas erleben, das ihre Nerven über Gebühr beansprucht. Mir erging es umgekehrt. Ich mußte immerzu schlucken, weil mein Mund zu viel Feuchtigkeit absonderte. Jedesmal sagte ich »Junge, Junge« vor mich hin. Richtig denken konnte ich immer noch nicht. Ich kroch in mein Bett, das unter der Decke noch warm war, und wartete mit süßem Grausen auf die Ankunft des Professors.

Es wurde halb fünf, es wurde fünf Uhr. Der Professor ließ sich nicht blicken. Ich begann zu fürchten, Kallebumms habe aus irgendeinem Grunde mit dem Unterricht fortfahren können. Aber mein Vater, der sich, auf dem Bettrand sitzend, meinen Bericht angehört hatte, hielt es für wenig wahrscheinlich. Es sei denn, daß nicht Kallebumms sondern ein Schüler die Klinke niedergedrückt habe.

61

»Bei einem andern wäre es möglich«, sagte ich, »aber bei Kallebumms nicht.«

Da wurde die Tür geöffnet, und der Professor schob sich herein. Statt einer Begrüßung sagte er zu meinem Vater: »Jetzt braucht er doch nicht mehr im Bett zu liegen.«

»Eigentlich nicht«, sagte ich.

Aber mein Vater meinte, nun solle ich auch noch bis morgen früh liegenbleiben, meiner Mutter wegen. »Also, wie war's?«

Der Professor sah erst mich und dann meinen Vater an. »Als ich die Expanderstränge entdeckte, wußte ich natürlich Bescheid. Besten Dank für die gute Absicht. Ich muß sagen: Plan und Ausführung einwandfrei. Vom Technischen her.«

»Hat Kallebumms dich noch geprüft?«

»Das sollte er wohl bleiben lassen.«

»Warum? Mensch, erzähl doch endlich! Setz dich hin und erzähl!«

Er ließ sich auf einem Hocker nieder. »Kallebumms war gerade beim Phrasenabfragen.«

»Mundry habe ich noch gehört«, sagte ich.

»Dein Glück übrigens«, sagte der Professor, »daß die Klinke nicht geknackt hat, als der Zug immer stärker wurde. Ich habe ausgerechnet, daß mindestens . . .«

»Wollen wir gar nicht wissen. Du sollst erzählen.«

»Da ist nicht viel zu erzählen. Bei dem Knall . . .«

»Knall?« unterbrach mein Vater ihn. »Ich hoffe, es war mehr als ein Knall.«

ste Kallebumms zufolge des Trägheitsgesetzes weiter herum. Und zwar mit solcher Gewalt, daß die Hand von der Klinke losgerissen wurde, wobei, fünftens, die Hebelwirkung eine gewisse Rolle spielte. Er rutschte ein Stück auf den Fliesen entlang und blieb mit ausgestreckten Armen und Beinen zwischen den Fetzen des Kanonenschlags liegen wie ein Frosch, der schwimmen will. Die Röllchen saßen vorn auf seinen Fingern. Über ihm wolkte noch der Pulverdampf. Wir hatten große Mühe, ihn aufzurichten. Wahrscheinlich wußte er eine Zeitlang nicht, wo er sich befand. Er machte ein Gesicht, als wolle er gleich anfangen zu weinen. Das rechte Handgelenk war verstaucht oder gebrochen. Der Direx befahl ... Ach so, als erster kam Rennemann angekeucht, ohne Schlips und Kragen. Und als wir Kallebumms schon wieder hoch hatten, nahte sich auch der Direx. Die Ruhe selbst. Er befahl Rennemann, den verstörten Kallebumms im Lehrerzimmer mit einem Glas Wasser zu laben, und uns, in die Klasse zurückzugehen.«

»Jetzt wird es spannend«, sagte mein Vater.

»Gar nicht«, sagte der Professor. »Es ist nichts dabei herausgekommen. Nachdem der Direx, ohne eine Miene zu verziehen, die Taue und die Stränge besichtigt hatte, die noch immer zwischen Tür und Tür ausgespannt waren, stellte er seine kriminalistische Untersuchung an. Wir mußten ihm erzählen, wie die Sache vor sich gegangen war. Ich hatte den Eindruck, daß er sich dabei nicht schlecht amüsierte. Er weiß doch, was für eine pädagogische und menschliche Fehlfarbe Kallebumms ist. Aber er ließ sich nichts anmerken. An der Art, wie er uns ausfragte, konnte man immerhin erkennen, daß er die Geschichte nicht aufbauschen wollte. Und als Rennemann in der Tür erschien, um zu melden, Kallebumms fühle sich schon wieder besser, und dabei etwas von Polizei murmelte, fuhr er ihn an, dies sei eine schulinterne Angelegenheit und solle es auch bleiben. ›Daß Sie mir keine Dummheiten machen mit Polizei und solchem Unsinn! Verstanden?‹ — ›Jawoll, Herr Direktor.‹ — ›Was ist mit dem Handgelenk?‹ — ›Wenn es man nicht gebrochen ist, Herr Direktor.‹ — ›Ich werde mir's mal ansehen. Ordentlich durchlüften hier und die Apparatur abbauen!‹ — ›Ich meine nur, Herr Direktor, es wird ja wohl nichts mehr hochgehen oder so?‹ — ›Vorsichtiger Mann. Dann macht ihr es, Jungens!‹ Wir haben es gemacht. Die Expanderstränge befinden sich in meiner Büchertasche. Ich gebe mich nämlich der Hoffnung hin, daß der Eigentümer, wer es auch sei, keinen Anspruch auf sie erhebt.«

Er könne sich vorstellen, sagte mein Vater, daß der Eigentümer erst einmal den Ausgang der Prüfung am kommenden Donnerstag abwarten wolle.

Ich dehnte mich unter der Bettdecke. »Am kommenden Donnerstag...« Das hatten wir jedenfalls erreicht.

Kallebumms nahm am nächsten Morgen den Unterricht wieder auf, als sei nichts geschehen, nur daß er beim Phrasenabfragen den Bleistift mit der linken statt mit der rechten Hand aufs Katheder stieß, weil um das Gelenk der rechten eine Gipsmanschette lag.

Im Laufe des Vormittags wurde jeder Schüler unserer Klasse einzeln im Direktorzimmer verhört. Da aber keiner auch nur das geringste mit dem Anschlag zu tun hatte, erfolgten die Antworten so frank und frei, daß sich im Direktor die Überzeugung festigte, der Täter müsse woanders gesucht werden. Ich selbst war noch zu Hause geblieben, um jeden Verdacht zu vermeiden. Merkwürdigerweise verfiel niemand auf mich. Wer nicht vorhanden ist, zählt offenbar nicht. Vielleicht hatte der Professor auch den Ernst meiner »Erkrankung« übertrieben. Jedenfalls wurde nicht einmal unter den Mitschülern, die viel eifriger nach dem Täter forschten als der Direktor, mein Name genannt. Mehr und mehr setzte sich die Annahme durch, einer von den »Ehemaligen«, die vor kurzem oder langem an Kallebumms gescheitert waren, habe ihm auf diese Weise einen Denkzettel verabreichen wollen. Dabei ließ man es sein Bewenden haben.

Für uns galt es jetzt, die unter so aufregenden Umständen errungene Gnadenfrist bis zum kommenden Donnerstag zu nutzen. Der Professor wollte nicht zurückstehen und gab sich rechtschaffen Mühe beim Lernen, wiewohl er uns nicht verhehlte, daß er unserem Vorhaben, wenn er rechtzeitig davon erfahren hätte, auf das entschiedenste entgegengetreten wäre.

Am Samstagabend nach dem Abhören der unregelmäßigen Verben — meine Mutter hatte, ehe sie zu

Bett gegangen war, meinem Vater eine Flasche Pilsener und dem Professor und mir ihre selbstbereitete Orangenlimonade hingestellt — fragte mein Vater uns, ob Kallebumms tatsächlich dem Weinen nahe gewesen sei. Der Professor sagte, er halte es für möglich und sogar für wahrscheinlich, daß er im Lehrerzimmer Tränen vergossen habe. Aber natürlich nur infolge des Schocks. Wer ein derartig geregeltes Leben führe wie er, sei etwas so Ungewöhnlichem nicht gewachsen. Wir hätten ihn nicht so erschrecken dürfen.

»Die Sache ist die«, mein Vater trank einen langen Schluck und nahm mit der vorgeschobenen Unterlippe den Schaum unter seiner Nase fort, »ich habe ihm heute nachmittag durch einen Dienstmann drei Flaschen Chateau L'Evangile, premier cru classé, Schloßabzug, geschickt, einen neunzehnhundertelfer Bordeaux, der Tote lebendig macht.«

»Na«, sagte ich.

»Natürlich ohne Namensnennung«, sagte mein Vater. »Nur so.«

Etwas Besseres, meinte der Professor, habe er nicht tun können. »Das ist sehr gut. Wirklich sehr gut. Und wie hat Kallebumms sich verhalten?«

»Zuerst wollte er das Paket nicht annehmen. Er befürchtete wohl einen neuen Anschlag. Und als der Dienstmann nicht locker ließ, verlangte er, während er sich hinter seine Wohnungstür zurückzog, daß es im Treppenhaus ausgepackt würde. Dann erst durfte der Dienstmann die Flaschen hineintragen.«

»Woher weißt du das?«

»Er mußte mir selbstverständlich berichten. Ich gäbe etwas darum, wenn ich wüßte, woran Kallebumms beim Leeren des ersten Glases gedacht hat.«

»An sich selbst natürlich«, sagte der Professor. »Aber das soll ihm unbenommen sein.«

Die Nachmittagsstunde am Donnerstag ließ sich gut an. »Gratias agere«, antwortete der Professor, als Kallebumms ihn fragte, was »Dank abstatten« heiße. Ich sprach kräftig im Chor mit, um mir und dem Professor Mut zu machen: »Grátias ágere — Dánk abstátten, dánken.« Wenn er merkte, daß ich zu ihm hinübersah — er saß links vor mir in der zweiten Reihe —, nickte er ruhig und sorglos zurück. Der Ellbogen seines angewinkelten rechten Arms lag auf dem Pultrand seines Hintermanns. So wartete er ab, was kommen würde. Ihm brauchte niemand eine Ermutigung zuteil werden zu lassen.

Nach einer Viertelstunde klappte Kallebumms das Ostermannsche Übungsbuch zu, dem er die Phrasen zu entnehmen pflegte, und hieß uns, den Sallust aufzuschlagen. Ich wunderte mich zwar, weil es gegen den Brauch war, hatte aber weiter keinen Argwohn. Auch als sich unter den Schülern, die er dann zum Übersetzen aufrief, keiner von denen befand, die heute hätten geprüft werden müssen, dachte ich immer noch nicht an etwas Böses. Der Professor schien jedoch schon zu ahnen, was Kallebumms beabsichtigte. Er zerwühlte, während er teilnahmsvoll zu mir hinüberlächelte, als ginge es nicht um ihn, sondern um mich, mit seiner linken Hand das Haar an seinem Hinterkopf und ließ sie dann so laut auf sein Pult fallen, daß Kallebumms zusammenzuckte und drohend aufblickte. Da der Professor aber, ohne sich um ihn zu kümmern, die auf dem Pult liegende Hand betrachtete, setzte er den Unterricht fort. Vielleicht war ihm deutlich geworden, was ich noch nicht begriffen hatte, daß der Professor mit dieser Bewegung seine Schülerlaufbahn für beendet erklärte.

Es dauerte noch etwa zehn Minuten, bis ich mich mit schnell ansteigender Angst fragte, worauf Kallebumms denn hinauswolle. Und dann war es soweit, daß auch ich begriff. Die Prüfung, auf der unsere, auf der meine, meine, meine verzweifelte Hoffnung ruhte, fand nicht statt. Sie fand einfach nicht statt. Dies war eine Unterrichtsstunde wie andere auch. Kallebumms hatte die Prüfung aus eigenem Entschluß eingeführt, er konnte sie auch aus eigenem Entschluß wieder abschaffen. Das war sein Recht, sein schlechtes Recht, aber sein Recht. Er brauchte niemandem Rechenschaft abzulegen.

Ich setzte mich aufrecht hin und starrte ihn voller Entsetzen an. Eine wilde Traurigkeit wogte durch mich hindurch. Sollte denn um Gottes willen alles umsonst gewesen sein? Oder gab es noch irgendeine Rettung? Nein, es gab keine mehr. Der Professor würde seine Fünf bekommen und zum zweiten Male sitzenbleiben. Aber war so etwas denn erlaubt? Durfte ein Mensch denn so etwas tun? Einfach alles zerstören, nur weil

Steuermann Leiss

Sie werden verstehen, daß ich nicht gerade zum Himmel emporgejubelt habe, als der vermischte Doktor mich am ersten Weihnachtstag anrief, kurz nach zweiundzwanzig Uhr, und mir eröffnete, ich müsse am nächsten Morgen, am sechsundzwanzigsten Dezember also, im Krankenhaus zu Esens einen Steuermann namens Leiss besuchen — Ludwig Emil Ida zweimal Samuel: Leiss. Er habe sich mit seinem Küstenmotorschiff zwischen Langeoog und Baltrum ein tolles Stück geleistet.

Der vermischte Doktor macht die Seiten »Unterhaltung und Vermischtes« bei unserer Zeitung. Vermischtes bedeutet Mord und Totschlag. Das kennen Sie ja. Deshalb heißt er so. Er schiebt mir immer die besten Sachen zu. Mag mich leiden. Ich ihn auch. Kann man nichts machen. Ein Schrank, außen Barock, innen zwanzigstes Jahrhundert.

»Der Kahn ist bei Windstärke neun gekentert«, sagte er. »Heißt glaube ich ›Einigkeit‹. Was für Namen die ihren Schlickrutschern geben! Na gut. Der

Kapitän und der Junge sind über Bord gegangen. Nichts mehr von ihnen gesehen und gehört. Weht ja immer noch ganz schön. Steuermann Leiss hatte Freiwache und wurde im Logis eingeschlossen. Muß man sich mal vorstellen: das gekenterte Schiff treibt kieloben in der Nordsee bei diesem Wetter, und innen drin der Steuermann. Na gut. Nach drei Stunden hat die See den Kahn auf eine Sandbank vor Langeoog geworfen. Dann ist ein Hubschrauber gekommen, hat den Mann herausgeholt und nach Esens ins Krankenhaus gebracht. Direkt vor die Tür. Und nun sehen Sie mal zu, wie Sie die Sache in den Griff kriegen. Da sitzt nämlich Musik drin. Und die will ich hören. Um achtzehn Uhr liegt der Bericht auf meinem Schreibtisch. Mit Bild. Alles klar? Na gut.«

Natürlich war alles klar. Was sollte ich machen? Dabei war gar nichts klar. Übrigens Nadolny ist mein Name, Bastian Nadolny. In der Redaktion sagen sie Nadel zu mir, weil ich wie eine Nadel in die Menschen eindringe, wenn ich sie aushole. Das ist nun einmal mein Beruf. Einen besseren habe ich nicht.

Am zweiten Weihnachtstag wollten wir nach Lübeck, Lille und ich. Lille kannte Lübeck noch nicht. »Bildungslücke«, habe ich zu ihr gesagt, »muß ausgefüllt werden. Am zweiten Weihnachtstag Lübeck.« Sie kommt aus Lengenbostel irgendwo bei Zeven. Lernt in der Bremer Diakonissenanstalt medizinisch-technische Assistentin. Mit Lübeck war erst einmal gute Nacht. Statt dessen Esens. Auch nicht schlecht.

Eine Sorte von Beruf hat unsereins. Aber das muß wahr bleiben: Lille ist erste Wahl. Kurzer Haarschnitt, blond, kühl und treu. Bei so einer Gelegenheit zeigt es sich.

»Nach Esens habe ich schon immer mal gewollt«, sagte sie. »Wo liegt das denn?«

»An einer Überlandleitung. Weiter gibt es da nichts. Höchstens noch ein paar Kühe.«

»Überlandleitung und Kühe«, sagte Lille, »das ist gerade das, was ich brauche. Kühe auf der Weide erinnern mich immer an zu Hause.«

»Besonders im Dezember«, sagte ich.

»Also Überlandleitung. Wie lange dauert die Fahrt?«

»Was weiß ich? Anderthalb Stunden. Sagen wir hin und zurück gute drei Stunden. Sagen wir vier Stunden bei diesem Wetter.«

»Können vier wunderbare Stunden werden, Baß. Es liegt an uns.«

»Na gut«, sagte ich.

Als wir am andern Morgen losfuhren, waren die Straßen leer. Trotzdem mußte ich aufpassen, weil die Sturmstöße den Wagen wegzudrücken versuchten. Mit Lille zu fahren, ist wie Geburtstag haben. Sie benimmt sich genauso, wie eine Frau sich benehmen muß, wenn sie mit einem Mann im Wagen fährt. Macht es mit ihrem bloßen Dasitzen schon festlich. Man fühlt nämlich, daß sie eine Frau ist. Kühl und trotzdem eine Frau, das ist selten. Aber wenn es ist, dann ist es festlich. Wir kommen gut miteinander aus. Ich selbst bin ja auch kein unangenehmer Mensch. Sie nennt mich Baß wegen Bastian und wegen meiner tiefen Stimme. Aber das gehört nicht hierher.

Was hierher gehört, ist folgendes: Als ich im Krankenhaus von Esens nach Steuermann Leiss fragte, sagte die Schwester, den habe seine Frau gerade weggeholt.

»Lebendig?« sagte ich.

Es habe so ausgesehen. Woher ich käme? Von Bremen? Dann müsse ich ihnen ja begegnet sein. In einem kleinen Volkswagen. Vor zwei Stunden ungefähr.

»Frohe Weihnachten«, sagte ich.

»Danke«, sagte sie. »Bei uns in Esens war das schon gestern.« Ganz kalt. Eine zähe Eule mit grauem Haar. So eine, die einen festhält, wenn der Arzt einem was aufschneidet.

»Adresse?« sagte ich.

»Mal sehen«, sagte sie. »Bremen, Kleine Meinkenstraße 17.«

»Wissen Sie was, Schwester?«

»Nein«, sagte sie.

»Ich wohne in der Sonnenstraße.«

»Freut mich«, sagte sie.

»Wenn ich um die Ecke biege«, sagte ich, »dann habe ich die Kleine Meinkenstraße gerade vor mir. Stattdessen fahre ich am heiligen zweiten Weihnachtstag durch Regen, Sturm und Dreck hierher. Warum ist er denn nicht bei Ihnen geblieben?«

74

»Sowie seine Stimme wieder funktionierte, hat er seine Frau angerufen und nicht eher Ruhe gegeben, bis sie versprochen hat, ihn nach Hause zu holen. Ich wünsche Ihnen eine gute Heimfahrt.«

»Danke. Was ich sagen wollte ... Er muß doch eine Natur aus Beton haben. Drei Stunden im Wasser und in dieser Jahreszeit.«

»Sind Sie mit ihm verwandt?« sagte sie.

»Nicht gerade verwandt. Oder nur so um sieben Ecken herum. Nehmen Sie lieber an, ich sei ein Mediziner, der sich für unterkühlte Schiffbrüchige interessiert. Was haben Sie denn mit ihm gemacht?«

Sie schob die Krankenkassenbrille auf ihre Nasenspitze, senkte die Stirn und sah mich mit ihren graublauen Augen an: »Chefarzt vermutlich?«

»Sie sagen es, Schwester. Trotzdem können Sie mir doch verraten, was man mit einem Menschen macht, der im Dezember drei Stunden in der Nordsee gelegen hat.«

»Ins Bett stecken und einen Lichtbügel überstülpen, dann heißen Tee mit Rum und Klüntjes und dann leichte Kost. Wer ein bißchen gesunden Menschenverstand hat, kommt von selbst darauf.«

»Man läßt sich's aber ganz gern von maßgeblicher Seite noch einmal bestätigen«, sagte ich. »Hat er denn schon was erzählt, wie ihm zumute war in dem gekenterten Schiff und so?«

»Da müssen Sie ihn schon selbst fragen. Soviel kann ich Ihnen immerhin versichern, daß er seinem

Herrgott ziemlich nahegekommen ist. — Schwester Hiltrud, haben Sie an die Moorpackung für die Gallenblase auf Elf gedacht?«

»Liegt schon drauf.«

»Ziemlich nahe«, sagte ich, »wie soll ich das verstehen?«

»Wenn Sie das nicht wissen, können Sie mir leid tun.«

Ich war entlassen. Schwester Beta hieß sie.

Während der Rückfahrt ging der Regen in Schnee über. Zuerst erschienen nur ein paar Flocken in den zuckenden Güssen, dann immer mehr, und schließlich preßte der Sturm nur noch Schneematsch gegen die Windschutzscheibe. Die Arme des Wischers hatten Mühe, rechts und links zwei Löcher offenzuhalten. Es war, als säßen wir in einem Gehäuse mit zwei winzigen Fenstern.

Während der ersten Viertelstunde schimpfte ich auf Schwester Beta, auf diese graue Eule, auf diesen Handbesen mit einer Haube obendrauf. Aber Lille sagte, wenn es solche grauen Eulen nicht gäbe, ginge es auf den Stationen drunter und drüber. »Solltest du einmal, was der Himmel verhüten möge, in ein Krankenhaus kommen, dann wirst du Gott danken, daß die Betas noch nicht ausgestorben sind. Lange wird es sowieso nicht mehr dauern.«

»Sie hätte mir doch wenigstens den einen oder andern Hinweis geben können.«

»Aber sie hat dir doch einen ganz hübschen Brokken vorgeworfen.«

»Nicht, daß ich wüßte. — Reich mir mal eine Zigarette!«

Sie holte das Päckchen aus dem Handschuhkasten, knipste ein Stäbchen heraus und steckte es mir, nachdem sie es angeraucht hatte, in den Mund.

»Danke«, sagte ich. »Und du?«

»Jetzt nicht.«

»Was für einen hübschen Brocken übrigens?«

»Vom lieben Gott und vom Nahekommen. Wenn ich du wäre, brauchte ich nicht mehr in die Kleine Meinkenstraße zu fahren. Mir würde es genügen.«

»Mir nicht.«

»Ist gar nicht gut, so viel zu wissen. Wer zu viel weiß, erkennt die Wahrheit nicht. Es kommt doch darauf an, das zu erkennen, worauf es ankommt.«

»Du müßtest eine Fibel für Reporter herausgeben.«

»Was müßte ich nicht alles!«

»Zum Beispiel?«

»Kinder kriegen . . .«

Ich warf einen kurzen Seitenblick auf sie. Aber sie tat, als merke sie nichts. Natürlich merkte sie was. Ihre Augen sahen geradeaus, ihre Unterlippe schob sich etwas vor und ging wieder zurück. Wir kannten uns nun schon über zwei Jahre. Aber ich hatte immer noch nicht heraus, ob ihr Nasenrücken eigentlich gerade war oder ein ganz kleines bißchen gebogen. An diesem Tage schien er gerade zu sein. Ich hätte gar zu gern mit meinem Mittelfinger eben mal darübergestrichen. Nur so. Lille ist ein schwedisches Wort und heißt klein.

Draußen mußte es kälter geworden sein. Seit einiger Zeit blieb der Schnee auf den Grasstreifen am Straßenrand liegen. Jetzt begann er auch die Fahrbahn zu bedecken.

»Also«, sagte ich, »Steuermann Leiss schnarcht in seiner Koje. Die . . . wie hieß das Schiff doch?«

»Einigkeit«, sagte sie.

»Die ›Einigkeit‹ wird von den groben Seen hin und her geworfen. Immer so ruckweise. Woher kommt sie übrigens, falls du das weißt?«

»Von Groningen.«

»Woher weißt du?«

»Weiß ich.«

»Was du nicht alles weißt! Was für eine Ladung?«

»Papier.«

»Schön. Und wie geht es weiter?«

Sie rutschte auf ihrem Sitz nach vorn, legte den Kopf auf die Rückenlehne und schloß die Augen. »Er liegt angekleidet in der Koje. Das Schiff ächzt und stöhnt im Seegang, ruckt hoch, noch höher, haut wieder runter und so fort. Mit einem Male holt es über, ganz schnell, weit über und geht über Kopf. Warum, weiß ich nicht. Aber das wird er dir schon erzählen. Keine Schwierigkeit.«

»Wird er mir nicht erzählen, weil er seinen Kapitän nicht reinreißen will. Der Kapitän muß doch irgendeinen Fehler gemacht haben, sonst wäre das Schiff doch nicht über Kopf gegangen.«

»Die Schwierigkeit liegt ganz woanders«, sagte sie. »An dieser Sache ist doch nur das eine interessant,

78

meiner Meinung nach: was hat der Mann im Laufe der drei Stunden gedacht und gefühlt, als er da mutterseelenallein in der Finsternis stand? Aber das erzählt er dir nicht. Dir nicht und niemandem. So ist der Mensch. Und dabei wissen wir es schon.«

»So? Ich nicht. Du vielleicht. Ich nicht.«

»Wir wissen, daß er seinem Herrgott sehr nahegekommen ist. Darum geht es nämlich, Herr Nadolny. Alles andere ist Beilage.«

»Dann wissen wir's ja.«

Sie schüttelte den Kopf. Ihre Augen blieben zu. »Wir wissen es, und wir wissen es nicht. Es fehlt noch etwas. Das, was dann kommt.«

Ein paar Schneefladen rutschten von der Scheibe herunter. Die Wischer schwangen erleichtert hin und her. Es wurde heller. Die verschneite Landschaft ließ die Welt heller erscheinen.

»Dann kommt«, sagte ich, »daß er langsam wieder vernünftig wird.«

»Das möchte ich eben wissen. Wie es in ihm aussieht, wenn er wieder vernünftig geworden ist — dein Ausdruck, nicht meiner — nach vierundzwanzig Stunden oder nach drei Tagen oder nach einem halben Jahr.«

»Und warum?«

»Tja, Herr Nadolny . . .« Sie reckte sich, öffnete die Augen und setzte sich aufrecht hin. »Aus verschiedenen Gründen.«

»Nämlich?«

»Och, da gibt es doch verschiedenes.«

79

»Nämlich?«

»Na, zum Beispiel... was ich so in der Zeitung lese, ist doch immer nur die eine Hälfte der Sache. Mich interessiert die andere viel mehr. Das, was dann kommt. Ein Haus stürzt ein. Gasexplosion. Vier Tote und achtundzwanzig Schwerverletzte. Schön. Vielmehr nicht schön. Und dann? Kein Wort mehr davon. Falscher Luftwaffenmajor prellt amerikanische Offiziere. Und dann? Gefängnis. Und dann? Was wird aus ihm, wie geht sein Leben weiter? Nichts. Wirbelsturm ›Linda‹ verwüstet Dominikanische Republik. Zweitausend Obdachlose. Und dann? Nichts. Ich kenne nichts Uninteressanteres als eine Tatsache. Erst die Folgen, die daraus entstehen, und die Art und Weise, wie die Betroffenen damit fertig werden, das und noch einiges andere macht doch eine Tatsache erst mitteilenswert.«

»Gebe ich zu. Und darum fahren wir ja hinter diesem Steuermann her. Wegen der Tatsache und wegen der Folgen. — Das war erstens. Und zweitens?«

»Was zweitens?«

»Aus verschiedenen Gründen hast du gesagt. Erstens wegen der Folgen. Und zweitens?«

Sie betrachtete ihre rechte Hand von vorn und von hinten. Dann machte sie mit dem Daumen und dem gekrümmten Mittelfinger eine Bewegung, als knipse sie ein Krümchen weg. »Ach Baß, darüber müssen wir mal reden, wenn wir Zeit haben.«

»Haben wir doch jetzt.«

»Zeit schon. Aber nicht die richtige Zeit. Paß mal auf, ich möchte dich um etwas bitten: laß mich mitkommen, wenn du zu ihm gehst, nachher.«

»Ohne weiteres. Und warum?«

»Möchte ich gern. Ich kann ja deine Sekretärin sein.«

»Ohne weiteres. Oder du behängst dich mit den Fototaschen. Aber was die Zeit betrifft, wann ist denn die richtige Zeit?«

»Das weiß man nicht. Vorher weiß man's nicht.«

»Besteht die Möglichkeit, daß es nie ist?«

»Doch. Bei den meisten Menschen ist es nie.«

»Vielleicht haben wir beide ja Glück.«

Sie sah geradeaus, nickte vor sich hin und zuckte dann mit den Achseln.

Hinter Oldenburg hörte das Schneien auf. Der Sturm schien auszuwehen. Da die Straße schon freigefahren war, konnte ich den Wagen laufen lassen. Manchmal sprachen wir miteinander und manchmal nicht. Irgend etwas hatte sich verändert zwischen uns, ich wußte nicht was, aber ich fühlte es. Vielleicht auch nicht verändert, vielleicht war es schon immer so gewesen, ohne daß ich es gemerkt hatte, und jetzt merkte ich es. Hin und wieder kommt so etwas ja über einen. Von dem Steuermann war nicht mehr die Rede. Wahrscheinlich, weil wir immerzu an ihn dachten.

Kurz vor fünfzehn Uhr bogen wir in die Kleine Meinkenstraße ein. Nummer 17 war ein schmales Haus mit einem winzigen Vorgarten. Das Ehepaar

Leiss bewohnte die beiden unteren Stockwerke. Das Dachgeschoß hatten sie anscheinend vermietet. Ehe wir klingeln konnten, wurde die Haustür geöffnet. Ein Herr verabschiedete sich von Frau Leiss.

»Ich habe ihn zwar erst einmal krank geschrieben, aber das soll weiter nichts bedeuten. Sie brauchen sich keine Sorge zu machen. Auf jeden Fall sehe ich morgen früh noch einmal herein.«

Der Arzt also. Wir ließen ihn vorbei und wandten uns Frau Leiss zu, die uns mit betonter Zurückhaltung musterte. Wie in jedem Gesicht, so ging auch in ihrem eine Veränderung vor, als sie hörte, daß wir von der Zeitung kämen und eine Aufnahme von ihrem Mann machen wollten. Unwillkürlich strich sie über ihr zusseliges Haar und bat uns einzutreten.

Steuermann Leiss lag auf dem Sofa. Er trug eine grüne, halb zugeknöpfte Strickjacke über einem wollenen Hemd mit offenem Kragen. Seine Füße, die in derben Socken steckten, ragten unter einer buntkarierten Decke hervor. Als er uns erblickte, setzte er sich auf und schob die Füße unter den Tisch.

»Sie wollen dich aufnehmen, Alwin«, sagte Frau Leiss. »Du sollst in die Zeitung. — Entschuldigen Sie, Ihren Namen habe ich schon wieder vergessen.«

Ich sagte, sie müsse aber mit auf das Bild. Dann stellte ich mich und Lille dem Steuermann vor.

»Angenehm«, sagte er und erhob sich ein bißchen. »Leiss.«

Während ich mich nach seinem Befinden erkundigte, rückte Frau Leiss zwei Stühle zurecht. »Setzen

Sie sich doch einstweilen. Ich muß mir eben mal übers Haar fahren.« Sie verschwand im Nebenzimmer.

Der Steuermann sah erschreckend mager aus. Doch offensichtlich nicht infolge der überstandenen Anstrengungen, sondern von Natur. Da Stirn, Backenknochen und Kinn hervortraten, wirkte der Mund mit den schmalen Lippen wie eingefallen. Die lange, dünne Nase ging an der Spitze etwas nach oben. Sonne und Wind hatten seiner Haut das gleichmäßige Braun gegeben, das auch wintertags Bestand hat.

Er hielt sich gleichfalls zurück und ließ mich kommen. Aber das bin ich ja gewohnt. Ich fragte ihn, ob er schon etwas Neues von dem Kapitän und von dem Jungen gehört habe. Dabei wies ich mit dem Kopf auf das Fernsehgerät, das auf der breiten Kommode neben einem spärlich geschmückten Tannenbäumchen stand. Wahrscheinlich ein Weihnachtsgeschenk.

»Nein«, sagte er, »sie haben nichts mehr darüber gebracht. Schon vergessen.«

»Mein Reden«, sagte Lille.

»Wir vergessen Sie aber nicht«, sagte ich. »Und deshalb wollen wir erst einmal ein paar Aufnahmen von Ihnen machen, wenn Sie erlauben. An die Arbeit, Fräulein!«

Frau Leiss kam wieder herein. Sie hatte nicht nur ihr Haar gebürstet, sondern auch eine andere Bluse angezogen. War zu erwarten. Aber als sie meinte, ihr Mann müsse sich auch etwas herrichten, wehrte ich ab: »Lassen Sie ihn genauso, wie er ist. Auch auf dem Tisch nichts anrühren, die Pfeife, die Zeitung, die Geneverflasche, das Rezept von ... wie heißt er? ... Doktor Wöltje ... alles so lassen! Kann gar nicht besser sein.«

»Hol mal Gläser her, Mutter!« sagte der Steuermann. »Mögen Sie echten Genever aus Schiedam?« Er sprach es wie S-chiedam aus.

»Ein Gläschen traue ich mir wohl zu«, sagte ich, »aber mehr nicht. Ich muß ja fahren.«

»Und das Fräulein?«

»Dasselbe«, sagte Lille, während sie den Belichtungsmesser vor die Brust des Steuermanns hielt. »Achteinhalb Schein. Wir nehmen am besten das chromatische Superanastigmat mit Blende elf und Gummilinse.«

Lauter Unsinn. Sie hat keine Ahnung vom Fotografieren. Aber es klang so wunderbar unverständlich, daß Frau Leiss ein ergriffenes Gesicht machte. Unverständlichkeit bewirkt immer Hochachtung. Davon leben viele Künstler.

Während der Aufnahmen kamen wir ins Gespräch über das Kentern und die Strandung der »Einigkeit«. Der Steuermann brannte nicht gerade drauf, zu erzählen, aber ich brauchte auch keine Tricks anzuwenden, um etwas von ihm zu erfahren. Wenn ich fragte, antwortete er. Nach der Fotografiererei goß er die Gläser voll. Ich trank auf seine Gesundheit.

»Da bin ich mit bei«, sagte Frau Leiss.

Und dann berichtete er von dem Unglück. Er hatte sich mit dem neuen Kapitän, einem Hamburger,

nicht verstanden. Schon bei der Ausreise waren sie an-
einandergeraten. Und auf der Westerems noch mehr.

»Westerems?« sagte ich. »Woher kamen Sie
denn?«

»Von Delfzijl.«

Ich sah Lille an und ließ einen scharfen Luftzug
durch meine Lippen fahren. »Und worum ging es
bei Ihrem Streit mit dem Kapitän?«

»Ich hielt es für unverantwortlich, mit dem kleinen
Schiff in das harte Wetter hineinzugehen. Hatte nur
vierzehn Tonnen Ladung im Raum.«

»Wie groß oder wie klein war das Schiff denn?«

»Hundertfünfzig Tonnen.«

»Und was für Ladung?«

»Tee und Seidenpapier.«

Diesmal pfiff Lille ein bißchen vor sich hin. Sie
hatte es hinsichtlich der Ladung zwar nur halb ge-
troffen, aber immerhin.

Der Steuermann sagte, mit dem Kapitän sei nicht
zu reden gewesen. »Überhaupt nicht zu reden. Er
wollte und wollte am ersten Weihnachtstag in Hamburg sein. Und da gab es nichts. Gott mag wissen,
was auf dem Spiel stand. Vielleicht nur die Weih-
nachtsgans, vielleicht auch eine Frau, nicht die eigene,
oder was sonst. Er hatte es ziemlich mit den Frauen.
Überall. Und hiermit auch.« Der Steuermann hob die
Flasche aus S-chiedam mit der rechten Hand hoch
und bedeckte mit der linken die untere Hälfte seines
Gesichts. Die Nase ragte lang und spitz über den
Zeigefinger hinweg.

»Und das ist nicht das richtige«, sagte Frau Leiss mit aufgerissenen Augen.

»Nein«, sagte ich.

Als sie gegen Mitternacht von Delfzijl ablegten, hatte der Steuermann das Ruder. Der Kapitän ging zur Koje und der Junge auch. Bei wachsendem Westnordweststurm und auflaufendem Wasser schlingerte die »Einigkeit« die Westerems hinunter, immer am Tonnenstrich entlang. Querab von Borkum traf sie das Wetter mit voller Gewalt. Der Steuermann mußte die Fahrt herabsetzen. Das war gegen sechs Uhr morgens. Kurz vor sieben weckte er den Kapitän, weil der Diesel nicht einwandfrei arbeitete. Es dauerte eine gute Weile, bis der Kapitän an Deck erschien und Wache und Ruder übernahm. Er hatte sich so ausgiebig gestärkt, daß er kaum noch stehen konnte. Allerdings wurde die »Einigkeit« auch hochgeworfen und in die Tiefe gerissen, daß es nur so eine Art hatte. Aber daran lag es nicht. Die Arbeit im Maschinenraum nahm eine gute halbe Stunde in Anspruch. Als der Steuermann nach oben kam, war der Kapitän hinter dem Rad zusammengesackt und eingeschlafen und das Schiff abgetrieben. Er zog ihn hoch und überredete ihn, sich wieder hinzulegen.

Der Sturm drehte langsam über Nordwest auf Nord und jaulte in immer helleren Tönen durch die Wanten. Von Zeit zu Zeit jagte eine aufheulende Regenbö aus der Nacht heran und hüllte das Ruderhaus in eine dumpfe Blindheit, in der sich kein Feuer mehr ausmachen ließ. Nur ganz allmählich setzte sich die Dämmerung durch. Im Laufe des Vormittags flaute der Sturm etwas ab. Er wehte jetzt vielleicht noch mit Stärke neun. Um zwölf Uhr, in der Höhe von Norderney, schob sich der Kapitän wieder ins Ruderhaus. Obwohl er grau und verschlafen aussah, machte er einen besseren Eindruck als vorhin. Sie sprachen über das Wetter und über das Essen. Er führte sich ganz verünftig auf. Aber wer konnte sagen, wie lange das anhalten würde? Deshalb holte der Steuermann den Jungen aus der Koje und gab ihm den Auftrag, ihn sofort zu wecken, wenn der Kapitän schläfrig würde. Dann aß er ein paar Scheiben Brot mit Speck, trank einen Schluck, zog die Gummistiefel aus und warf sich in die Koje. Im nächsten Augenblick war er in tiefe Bewußtlosigkeit gesunken.

Und dann kam es. Nachher stellte sich heraus, daß er eine knappe Stunde geschlafen hatte. Ein Gedonner kam und ein Brechen und eine sich drehende Finsternis. Er fiel irgendwohin. Alles mögliche fiel über ihn. Die Finsternis sank weg, fing sich und ruckte hoch. Er griff umher, rutschte ab, Wasser schoß über ihn, eiskalt, wogte zurück, war wieder da und wogte abermals zurück. Dabei traf ihn ein schwerer Gegenstand so hart in den Rücken, daß ihm der Atem wegblieb. Als das Wasser von neuem heranwuchtete, hielt er die gekreuzten Arme vor sein Gesicht. Da wurden ihm die Beine weggerissen. Er schlug hin, raffte sich auf, schlug wieder hin und kam wieder hoch. Aber er wußte nicht mehr, ob er auf seinen Füßen stand oder auf seinem Kopf. Wasser, überall Wasser. Irgend etwas preßte ihm die Schläfen knirschend zusammen. Er wollte stöhnen, schlucken, atmen. Es ging nicht. Nichts ging mehr, bis in seinem linken Ohr eine Blase zersprang und er den Kopf wieder frei hatte. Er fühlte an der Wand nach oben: die Koje oder was? Ja, die Koje, aber verkehrt herum. Verdammt noch eins! Das Schiff war gekentert. Raus! So schnell wie möglich raus! Wo war die Tür? Er überlegte. Aber vor lauter Dunkelheit konnte er nicht mehr richtig denken. Hier die Koje... Warte mal: wenn oben unten war und unten oben, dann mußte die Tür dort sein. Er tappte darauf zu. Der Drehknopf befand sich unter Wasser. Tief Atem geholt und getaucht. Schnell! Wo... wo...? Ah hier! Er drehte und drückte. Aber die Tür gab nicht nach. Sie war durch die Trümmer des Ruderhauses verrammelt, die ein Brecher in den Niedergang gekeilt haben mußte. Wieder hoch. Er saß in einer Mausefalle. In einer sinkenden Mausefalle. Jetzt ging das Ersaufen los. Ohne sich zu besinnen, tauchte er ein zweites Mal. Seine Hände umklammerten den aufgedrehten Knopf. Sein rechter Fuß trat mit aller Kraft gegen die Türfüllung. Aber das Teakholz hielt. Nach Luft schnappend kam er wieder hoch, gerade als der schwere Gegenstand von vorhin an ihm vorbeigurgelte und gegen die Wand krachte. Er faßte hinterher, und da hatte er ihn. Es war der Schreibtischsessel des Kapitäns. Der bringt mich noch um, dachte er. Meinethalben. Ein eingeschlagener Schädel ist besser als Absaufen.

Geht schneller. Aber dann bemühte er sich doch, den Sessel in der Koje festzuklemmen. Als nächstes fischte er einen seiner Holzpantoffeln auf und trat hinein, um ihn unschädlich zu machen. Den andern fand er nicht. Die Gummistiefel mochten weiter herumschwappen. Sie waren nicht gefährlich.

Weil die »Einigkeit« keine Fahrt mehr machte, wurde sie noch wilder als zuvor hin und her geworfen. Das Wasser in der Kajüte klatschte an den Wänden hoch und sank schlürfend zurück. Es ging ihm jetzt bis an die Brust. Ungefähr. Erst einmal Ruhe im Kopf, damit die Nerven wieder in die Reihe kamen! Eigentlich hätte doch alles längst vorbei sein müssen. Was war denn los? Ein gekentertes Schiff sackte doch weg wie ein Stein. Bis an den Grund. Aber es herrschte keine Stille um ihn her, sondern Wogengedröhn. Das Schiff schwamm noch. Wahrscheinlich war es in einem gewaltigen Brecher so schnell gekentert, daß es nicht hatte vollaufen können. Dabei war eine Luftblase in der Kajüte hängengeblieben, die ihm das Atmen ermöglichte, als befände er sich in einer Taucherglocke. Stieg das Wasser denn immer noch? Es kam ihm so vor, als fiele es. Aber das konnte ja nicht gut sein. Es fiel nicht, aber es schien auch nicht mehr zu steigen. Eine einwandfreie Feststellung war nicht möglich, weil es sich ununterbrochen bewegte. Manchmal schlug es sogar über seinem Kopf zusammen, daß er die Bläschen klingeln hörte.

Wo mochten sie jetzt sein, das Schiff und er? Seine

Armbanduhr zeigte ein Viertel nach dreizehn. Dann sollte man annehmen, daß sie in der Höhe von Langeoog trieben. Allerdings wußte er nicht, was für Manöver der Kapitän sich hatte einfallen lassen. Vielleicht hatte er versucht, durch die berüchtigte Accumer Fe zwischen Baltrum und Langeoog zu gehen. Der helle Wahnsinn. Aber bei seinem Zustand konnte man ihm schon einiges zutrauen. Und dann hatte ihn die See beim Kentern des Schiffes über Bord gerissen und den Jungen auch. Ein Elend, ein Elend!

Der Steuermann dachte nach. Das Schiff trieb. Gut. Aber wohin? Schwer zu sagen. Vor den Ostfriesischen Inseln suchten sich die Strömungen immer neue Wege. Wenn es ein Viertel nach dreizehn Uhr war, dann mußte die Flut schon eingesetzt haben. Dadurch verringerte sich die Gefahr, daß die »Einigkeit« auf die Schiffahrtstraße geriet und von einem großen Pott vollends unter Wasser gedrückt wurde. Flut und Wind drängten sie gegen die Inseln. Das konnte die Rettung bedeuten. Mußte nicht, aber konnte. Hoffentlich hielt die Luft noch so lange vor. Er atmete nur noch ganz vorsichtig und flach. Sooft die »Einigkeit« in die Tiefe sank, wartete er darauf, daß sie mit dem, was vom Ruderhaus noch stand, oder mit der Ankerwinsch auf Grund stieß. Der Mast war natürlich längst weggebrochen. Aber jedesmal gab es unten nur ein weiches Gewoge. Und was sich hin und wieder wie ein Stoß anfühlte, war nur eine harte Quersee.

Er wartete in seiner Einsamkeit und wartete. Zuerst hatte ihm die Kälte am meisten zugesetzt. Er befürchtete, es nicht lange aushalten zu können, obwohl er sich unaufhörlich bewegte. Aber mit der Zeit nahm die Einsamkeit überhand. Sie quälte ihn noch mehr als die Kälte. Wenn er jemanden bei sich gehabt hätte, einen Menschen oder auch nur ein Tier, dann wäre es nicht so schlimm gewesen. Die Kälte war schlimm, und die Finsternis war schlimm, die Finsternis auch, aber die Einsamkeit war noch schlimmer. So schlimm, daß er ein paarmal in Versuchung kam, aufzugeben.

»Ich habe keine weichmütige Natur«, sagte er. »Das dürfen Sie mir glauben. Es war, als ob mir die Wände immer näher auf den Leib rückten in der Finsternis. Und ich hatte keine Hilfe und konnte nicht weg. Dann merkt man erst so richtig, wie verraten und verkauft man ist.«

Ich fragte ihn, ob er auch Hunger gehabt habe.

»Hunger? Ich weiß nicht, Hunger nicht.«

»Und Durst?«

»Auch nicht. Man denkt gar nicht an so was.«

»Hast du mir nicht erzählt«, sagte Frau Leiss, »daß du versucht hättest, aus der Trinkwasserpumpe was herauszukriegen?«

»Das war später. Und eigentlich auch nur, um was zu tun. Nicht aus Durst.« Er griff nach der Flasche: »Trinken Sie aus! Oder hätten Sie lieber ein Bier? Mutter, hol mal Bier aus dem Kühlschrank!«

»Nein, nein«, sagte ich. »Danke, ich darf ja nicht.«

Lille leerte ihr Glas, zog es dann an sich und schüt-

telte den Kopf. »Ich danke auch. Aber ich möchte Sie
... Nein, wirklich, danke! Aber ich möchte Sie wohl
etwas fragen.«

»Fragen Sie nur, kleines Fräulein!«

Sie faßte in ihr Haar, so schräg von hinten, und
schob es auf und ab. »Vorhin haben Sie gesagt, daß
Ihre Armbanduhr noch ging.«

»Ging noch tadellos. Hier!« Er streckte ihr sein
Handgelenk entgegen. »Schweizer Werk, Sekunden-
zeiger, Leuchtziffern und alles. Hat keinen Tropfen
durchgelassen.«

Lille schob noch immer ihr Haar auf und ab. »Ich
wollte Sie fragen, ob Ihnen das Ticken, wenn Sie die
Uhr ans Ohr hielten, und die Leuchtziffern, ob Ihnen
die nicht wie etwas Lebendiges vorgekommen sind in
der Finsternis.«

»Sieh mal an«, sagte der Steuermann. Er ließ den
ausgestreckten Arm mit der Uhr auf dem Tisch liegen und richtete seine Augen auf Lille. »So war es
tatsächlich. Nachher war es so. Wie kommen Sie
darauf?«

»Ich möchte Sie noch mehr fragen.«

Er lehnte sich zurück und machte mit der Hand
eine Bewegung, die ebensogut Zustimmung wie Ab-
lehnung bedeuten konnte. Dann legte er sie vor seinen Mund und wartete.

»Ich hätte Sie gern gefragt, ob Sie ... Oder ich
will mal so anfangen ...« Sie spielte mit ihrem Glas.
»Wenn Menschen ... Wie ist es, wenn ein Mensch
keine Hoffnung mehr hat? Entschuldigen Sie bitte.«

»Schön ist es nicht«, sagte der Steuermann hinter seiner Hand.

»Ich meine ... kommt es dann?«

»Was?« Er ließ die Hand sinken.

»Es braucht sich nicht einmal um eine so verzweifelte Lage zu handeln wie Ihre ... Ich meine, wenn ein Mensch in großer Not ist und nicht mehr aus noch ein weiß, dann ... na ja, dann kommt doch manchmal etwas über ihn.«

»Hm«, sagte der Steuermann.

»Na ja, zum Beispiel, daß er zum Beispiel anfängt zu beten.«

Der Steuermann sah vor sich hin, warf einen kurzen Blick auf Lille und sah wieder vor sich hin.

»Entschuldigen Sie«, sagte sie.

»Warum wollen Sie das wissen?« fragte der Steuermann, ohne die Augen zu heben.

Ich beeilte mich, zu versichern, das habe nichts mit der Zeitung zu tun. Eine ganz persönliche Frage meiner Mitarbeiterin.

»Es geht nur mich an«, sagte Lille. »Aber mich geht es an.«

»Hm«, sagte der Steuermann wieder.

Schweigen. Ich räusperte mich. Schweigen.

Frau Leiss zupfte Lille am Ärmel ihres Pullovers und flüsterte ihr unter verstohlenem Nicken zu: »Er auch.«

Der Steuermann schien es nicht gehört zu haben. Er holte tief Luft, wartete etwas und sagte dann im Ausatmen: »Ich jedenfalls nicht.«

»Das ist doch keine Schande, Alwin«, sagte Frau Leiss. »Was du mir erzählt hast, ist doch keine . . .«

»Mußt nicht«, sagte der Steuermann.

»Ist doch keine Schande, Alwin. ›Tu jedem Menschen recht an Bord, vergiß auch Gott nicht und sein Wort.‹«

»Ich habe ja gar nicht richtig. Alles Unsinn. Nur so . . . wie das so geht . . . man hat ganz anderes im Sinn, man denkt, wie man hier rauskommen soll. Und während man so denkt, ist noch was anderes da, ganz von selbst.« Seine gespreizten Finger wischten, ohne daß er sich dessen bewußt war, auf seiner Brust herum. »Und das tut es dann. Nicht ich. Ich überhaupt nicht. Das andere . . . Wie so ein Gestöhn irgendwo innen. Kann keiner was gegen machen. Ist natürlich alles nur . . . sind natürlich nur die Nerven. – Aber daß Sie mir ja nichts darüber schreiben, sonst werde ich verdammt unangenehm!«

Ich wies seine Befürchtung mit beiden Händen zurück, zeigte auf Lille, die in sich versunken dasaß, und erhob die Hände noch einmal.

»Außerdem war ja auch Weihnachten«, sagte Lille vor sich hin.

Frau Leiss stand auf. »Ich sollte dir ja . . . ach je . . . du wolltest das ja noch nachlesen.«

Aber der Steuermann befahl ihr mit einer unwilligen Bewegung, zu bleiben. »Jetzt doch nicht.«

»Oder hatten Sie das vergessen?« fragte Lille aufblickend. »Ganz unter uns gesagt?«

»Ganz unter uns gesagt, ging es mir nicht um Weihnachten, sondern um mein Leben.«

»Ich hole es doch mal her«, sagte Frau Leiss.

Wieder die unwillige Bewegung.

Lille sah ihn an.

Er faßte nach dem Tabakpäckchen und begann, sich die Pfeife zu stopfen. Dann fegte er die Krümel zusammen und preßte sie mit dem Daumen auf den gefüllten Kopf. Dann schloß er das Päckchen. Dann riß er ein Streichholz an. Dann setzte er die Pfeife in Brand. Dann löschte er die Flamme durch mehrmaliges Hin- und Herschwenken. Und dann legte er das Streichholz auf die Aschenschale. Alles sehr langsam und sehr umständlich. Als er fertig war, rauchte er schweigend vor sich hin. Dann und wann hatte es den Anschein, als wolle er etwas sagen, aber es wurde nichts daraus. Ich überlegte gerade, ob sein Schweigen vielleicht bedeutete, daß wir uns verabschieden sollten, da fing er an zu sprechen. Er fuhr da fort, wo wir ihn unterbrochen hatten. Nur sprach er jetzt gedämpfter, ich möchte fast sagen vertraulicher, so, als seien wir keine Fremden mehr. »Nach zwei Stunden hatte ich nur noch verdammt wenig Hoffnung. Ich merkte, daß der Sauerstoff in der Luftblase abnahm. Meine Augen konnten die Leuchtziffern kaum noch erkennen vor Müdigkeit. Sauerstoffmangel macht müde. Ich war so müde, daß ich taumelte wie ein Betrunkener. Es ist sowieso nicht leicht, das Gleichgewicht zu halten, wenn man bis an die Brust im hin und her schwankenden Wasser steht und der

Boden einem unter den Füßen wegsackt und schräg wieder hochkommt. Und Kopfschmerzen hatte ich auch. Ziemlich starke sogar. Zwei Stunden in der Finsternis sind eine lange Zeit, das kann ich Ihnen sagen, zweieinhalb Stunden. Da ist man nicht mehr für das verantwortlich, was einem durch den Kopf kommt. Und was kommt einem da nicht alles durch den Kopf: Weihnachtstag ... daran denkt man natürlich auch. Ist ja verständlich. Christi Geburt. ›Und es ging ein Gebot vom Kaiser Augustus aus.‹ Hat man ja in der Schule gelernt. Komisch, daß man es so lange behält, obwohl man keinen Gebrauch mehr davon ... Na ja, so richtig auch wieder nicht. Ich versuchte, ob ich es noch zusammenkriegte. Gleich der Anfang kam mir nicht ganz richtig vor. Und mit einem Male hatte ich es: ›Und es begab sich, daß ein Gebot vom Kaiser Augustus ausging.‹«

»Zu der Zeit«, warf Lille ein.

»Was ist gefällig?« Der Steuermann zog an seiner Pfeife.

»Und es begab sich zu der Zeit«, sagte sie.

»Sehen Sie! Nicht einmal jetzt komme ich damit klar. Und in der Finsternis schon gar nicht. ›Da machte sich auch auf Joseph aus Nazareth.‹ Oder stimmt's etwa nicht?« Er wandte sich wieder an mich.

»Ich bin für so etwas nicht zuständig«, sagte ich.

Lille schüttelte den Kopf.

»Wahrscheinlich stimmt es nicht. Mir schummerte die ganze Zeit über, daß es nicht stimmte. Und schließlich gab ich's auf. Aber dann sagte ich mir, es könnte ja sein... ich sage ja, worauf verfällt man nicht alles, wenn man so ins Ungewisse treibt, in den Tod, und in was für einen Tod, verdammt noch eins. Und da machte ich eine Wette gegen das Schicksal: Wenn ich die Geschichte richtig zusammenbrächte, dann würde ich doch noch gerettet. Junge, was habe ich mir den Kopf zergrübelt, daß ich es in die Erinnerung holte! Vielleicht kamen die Kopfschmerzen auch daher. Aber ich erwischte immer nur einen Fetzen. ›Und sie gebar einen Sohn in der Krippe, denn es war sonst kein Platz in der Herberge. Und wickelte ihn in Windeln und legte ihn in die Krippe...‹ Nein, zweimal Krippe stimmt nicht. ›Und die Engel verkündeten den Hirten: Ehre sei Gott in der Höhe und den Menschen ein Wohlgefallen.‹ Ich weiß, daß es nicht stimmt, Fräulein... Fräulein... na?«

Ich nannte Lilles Nachnamen.

»Sie brauchen gar nichts zu sagen, Fräulein Luhmann. Aber für mich stimmte es trotzdem. Ich hatte etwas, worauf ich meine Gedanken richten konnte, daß ich nicht unterging in der Finsternis, daß die Finsternis mich nicht verrückt machte, falls Sie das verstehen.«

»Es gibt noch eine andere Weihnachtsgeschichte«, sagte Lille. »Und das Licht scheint in der Finsternis.«

»Mag sein. Ich kenne nur ›Und es begab sich ein Gebot vom Kaiser Augustus.‹ Und das hat mich gerettet. Weil ich es nicht richtig konnte, hat es mich gerettet, falls Sie das verstehen. Weil ich so lange darüber nachgedacht habe. Sonst hätte ich es nicht ausgehalten. Und darauf kommt es an.«

»Und die Finsternis hat's nicht begriffen«, fuhr Lille fort, aber so tonlos, daß es kaum zu vernehmen war.

»Gerettet«, sagte ich, »obwohl Sie die Wette eigentlich verloren hatten.«

»Es kommt nicht auf die Wette an«, sagte er, »sondern auf die Rettung.«

»Natürlich«, sagte ich. »Hören Sie, Herr Leiss, das mit der Weihnachtsgeschichte würde ich aber doch gern bringen.«

»Auf keinen Fall«, sagte er.

»Schade«, sagte ich. »Sie täten mir einen persönlichen Gefallen.«

»Finished«, sagte er.

»Schade. Und dann?«

»Ja, dann . . .« Er dehnte sich, indem er die Hand mit der Pfeife hochstreckte und mit der andern seinen Nacken rieb. »Kurz nach sechzehn Uhr kam der erste Stoß. Das Schiff wurde hochgehoben und sauste runter. Rums! Es krachte, daß ich glaubte, alle Nähte müßten reißen. Die Trümmer im Niedergang kreischten, im Laderaum rumpelte es. Ich hielt den Atem an. Und da kam auch schon der nächste Stoß. Das Schiff saß auf Grund. Auf Grund, meine Herrschaften! Mit ungeheurer Wucht donnerte jetzt die Brandung darüberhin. Jede See lüftete es an und schob es ein Stück vor sich her. Und dann rollte eine heran, die es nicht weiterschob, sondern umdrehte. Wie wenn ein Riese sich mit seiner Schulter dagegenstemmte und es umdrehte. Ich fiel hin, zappelte im Wasser, schluckte und spuckte und stand wieder auf. Und als ich nach der Koje fühlte, da war sie richtig herum. Das Schiff lag wieder auf seinem Kiel. Jetzt brauchte ich nicht mehr mit der Luft zu sparen. Ich pumpte mir die Lunge voll und tauchte nach dem Türknopf. Er befand sich auch jetzt wieder unter Wasser. Als ich ihn umdrehte, ging die Tür auf. Sie ging wahrhaftig auf. Nicht viel, aber doch so weit, daß ich mich nach einigem Gerüttel und Gerucke hindurchzwängen konnte. Das Eisengewirr und das zersplitterte Holz, das den Niedergang blockiert hatte, mußte beim Umdrehen verrutscht sein. Ich kletterte hindurch. Gerade fegte wieder ein Brecher über Deck. Aber ich stand in der freien Luft. Sie war eiskalt und voll Flugwasser. Aber es war Luft, wunderbare Luft. Das Schiff lag auf einer Sandbank. Da drüben zogen sich die Dünen einer Insel hin. Ich wußte nicht, um welche es sich handelte. Kein Gedanke, daß ich hinkonnte, denn zwischen der Bank und den Dünen tobte und schäumte noch die See. Und ich war steif wie eine Handspake. Hoffentlich merkten sie drüben, daß hier noch jemand am Leben war. Vorläufig ließ sich keine Seele blicken. Und dabei fing es schon an, dunkel zu werden. Bei jeder See, die über das Schiff sauste, klammerte ich mich an die Nabe des Steuerrades, die aus den Resten des Ruderhauses herausragte. Alle Speichen waren weggebrochen. Das Deck sah wie ein Schrotthaufen aus:

die schenkeldicken Poller aus den Stahlplatten herausgedreht, das Schanzkleid eingedrückt, die Winsch
zur Seite gebogen, die Speigattendeckel abgerissen,
beide Anker weg. Ich hätte es nicht für möglich gehalten. Noch immer konnte ich niemanden erblicken.
Dabei hatten sie mich auf dem Beobachtungsturm
der Seenotfunkstelle längst entdeckt. Aber das wußte
ich ja nicht. Der Rettungskreuzer ›Langeoog‹ war
schon ausgelaufen und wollte versuchen, mich von
See aus zu erreichen. Die Insel hieß also Langeoog.
Und da kamen sie endlich über die Dünen und am
Strand entlang, die Inselbewohner. Sie winkten, und
ich winkte zurück. Ich verstand nicht, daß sie mich auf
den Rettungskreuzer hinweisen wollten. Er kam aber
nicht heran. Die Brandung ging viel zu hoch. Schließlich forderten sie einen Hubschrauber von Ahlhorn
an. Im Handumdrehen war er da. Das Weitere wissen Sie.«

»Gar nichts wissen wir!« sagte ich. »Wie hat er Sie
denn von dem Wrack heruntergeholt?«

»Mit einer Strickleiter. Ich steckte den Arm hindurch. Dann hoben sie mich ein paar Meter an und
orgelten mich zum Strand hinüber. Was sie da mit
mir gemacht haben, alles mögliche, weiß ich nicht
mehr so richtig. Sie haben mich jedenfalls in Decken
gewickelt, in den Hubschrauber geladen und nach
Esens geflogen. Das Ganze dauerte keine Viertelstunde. Ist schon eine tolle Sache, so ein Hubschrauber. Und nun sitze ich hier und freue mich meines
Lebens.«

»Und ich freue mich, daß ich ihn bei mir habe.«
Frau Leiss hielt ihm ihre Hand hin. Er lachte ein
bißchen und drückte, ohne die Pfeife wegzulegen,
sein Handgelenk hinein. »Schon gut, Mutter.«

Sie erhob sich, murmelte etwas vor sich hin und
ging hinaus.

»Junge, Junge«, sagte ich, indem ich meine Notizen
zusammenraffte, »da sitzt wirklich Musik drin.«

»Was ist gefällig?« fragte der Steuermann.

»Mein Chef hat gestern abend am Telefon gesagt,
in Ihrer Geschichte sitze Musik. Ist so eine Redens-
art von ihm. Aber das kann man wohl sagen.«

»Sie denken doch daran, daß Sie von der betref-
fenden Sache ... Sie wissen schon, was ich meine ...
daß Sie davon nichts bringen. Wir hätten am besten
gar nicht davon anfangen sollen. Ich weiß auch nicht,
wie ich überhaupt ... Also: kein Wort!«

»Kein Wort! Mein Wort! Und jetzt ist es höchste
Zeit, daß ich an meinen Schreibtisch komme, sonst
muß ich den Bericht noch in die Setzmaschine dik-
tieren. Und das wäre ein Jammer. Vielen Dank, Herr
Leiss, und gute Tage, und daß Sie bald ein neues
Schiff kriegen!«

»Wird schon werden.«

Lille verabschiedete sich mit einer kleinen Verbeu-
gung.

»Wo ist Ihre Frau denn geblieben?« sagte ich.

Frau Leiss rief durch die offene Tür, sie käme
schon. »Hier ist es, Alwin.« Sie hatte ein schwarzes
Buch in der Hand. »Du wolltest es doch nachlesen.«

»Jetzt nicht. Leg's irgendwohin. Vielleicht später.«
Er wies mit dem Arm ins Ungewisse.

Frau Leiss brachte uns an die Tür.

Die Straßenlaternen brannten schon. Es fing wieder an zu schneien.

»Was wirst du nun schreiben?« fragte Lille, als wir im Wagen saßen.

»Stoff genug. Viel zuviel. Ich brauchte eine Sonderseite. Aber damit rückt der vermischte Doktor natürlich nicht heraus. — Du fährst doch mit zu mir?«

»Ich möchte lieber nach Haus. Setz mich bitte am Dobben ab.«

»Soll ich nachher noch zu dir kommen, wenn ich bei der Zeitung fertig bin? Kann aber spät werden.«

Sie faßte in ihr Haar. »Vom Eigentlichen wird also wieder nicht gesprochen.«

»Darf ich ja nicht. Hat er mir doch ausdrücklich verboten. Und das ist sein gutes Recht. Leider.« Ich steckte den Zündschlüssel ins Schloß und ließ den Motor anspringen.

»Dann sehe ich nicht ein, was für einen Sinn das Ganze haben soll.«

»Außerdem will ich dir mal was sagen, Lille. Das Eigentliche ist außerdem schon nicht mehr das Eigentliche. Ist längst vorbei und abgetan. War nur, solange er in der Finsternis stand. ›Leg's irgendwohin!‹ Das kennt man doch.«

»Das kennt man doch.« Ihre Augenbrauen zogen sich gegen die Nasenwurzel zusammen.

»Was ist denn los, Lille?«

»Nichts.«

»Natürlich ist was los.«

Ihre Schultern sanken zurück. »Komm, wir wollen nicht mehr darüber sprechen.«

»Ich möchte aber.«

»Bitte nicht!« Sie stieß das »Bitte« so verzweifelt hervor, daß ich glaubte, sie werde gleich in Tränen ausbrechen.

»Ist es dir so schrecklich, daß der Mensch so ist, wie er ist?«

Ihre Fäuste drehten sich auf dem Schoß mit den Knöcheln gegeneinander. Keine Antwort.

Ein Flockenwirbel trieb durch die Helligkeit der Scheinwerfer. Ich fuhr langsam an.

Eine Regennacht

Der Junge stöhnte ein paarmal und drehte sich dann langsam um sich selbst. Es dauerte eine Weile, bis die Betäubung des Schlafes so weit von ihm gewichen war, daß er zu begreifen vermochte, wo er sich befand. Er stützte sich im Bett hoch und starrte durch die Finsternis der Kammer auf das dämmerige Viereck des offenstehenden Fensters. Sein Ohr vernahm das weiche Rauschen des Regens und dazwischen das Tuckern der Tropfen, die sich in unregelmäßigen Abständen vom oberen Fensterrand lösten und auf das Blech des Simses schlugen. Mit einem Male drang ein angstvolles Aufbellen durch den Regen, das in ein langgezogenes Heulen überging. Dem Jungen war so, als habe er das Bellen und Heulen schon im Schlaf gehört und sei dadurch aufgewacht. Als es von neuem begann, angstvoller noch als zuvor, glitt er aus dem Bett, tappte ans Fenster und sah auf den Strom hinunter. Die Jacke seines Schlafanzuges stand offen, seine Haut erschauerte in der Nachtkälte.

Wieder das kurze Gebell und das lange, jaulend

hinsterbende Geheul. Und gleich darauf noch einmal und noch einmal. »Muß ein Hund sein«, dachte er. »Was ist denn los mit ihm? Ob ihn jemand in die Weser geworfen hat? Warum schwimmt er denn nicht an Land?«

Er bemühte sich, die Finsternis zu durchdringen, konnte aber außer einem verschwommenen Lichtstreifen, der jedesmal beim Aufblinken des Leuchtfeuers vom andern Ufer her über die strömende Wasserebene flog, nichts erkennen. Das Heulen wiederholte sich in immer kürzeren Abständen und klang immer verzweifelter. Es schien vom Anleger zu kommen. Der Junge faßte sich an den Nacken und wandte den Kopf nach rechts und nach links. Dabei öffnete er den Mund, als wolle er ein Stück aus der Luft herausbeißen.

Stromaufwärts, nach Bremen zu, wurden die Topplichter eines Frachters im Laubwerk der Schwarzpappeln sichtbar. Sie blinkerten, verschwanden und blinkerten von neuem. »Der muß es aber eilig haben«, dachte der Junge, »daß er bei auflaufendem Wasser rausgeht. Oder läuft es noch nicht auf?« Er tastete sich nach dem Hocker neben seinem Bett, auf dem der Wecker mit den Leuchtziffern stand. »Viertel nach zwei, dann läuft es schon auf, seit gut einer halben Stunde schon. Was hat der Hund bloß? Er liegt aber nicht im Wasser, sonst würde die Flut ihn doch mitnehmen. Kommt immer von derselben Stelle her, das Heulen. Ob ich mal hingehe? Aber bei so einem Wetter? Vielleicht ist sein Herr ja in den

Fluß gefallen. Ist vielleicht betrunken gewesen, und der Hund steht am Ufer und heult hinter ihm her, streckt den Kopf vor und heult hinter ihm her. Menschenskind, ist ja nicht auszuhalten! Ich gehe mal runter. Irgend etwas stimmt da nicht.«

Während er seine Hose über den Schlafanzug streifte und den Gürtel schloß, schob sich der schwarze Umriß des Frachters langsam in das Fenstervierieck. Gedämpft glomm das grüne Seitenlicht durch den Regenschleier. Dann kam das Hecklicht, und dann war er vorbei. Gleich darauf toste die Sogwelle am Ufer entlang, brandete auf und verlor sich ebenso schnell, wie sie gekommen war. Das Tosen hatte das Geheul übertönt. Aber nun jammerte der Hund wieder mit schauerlicher Wildheit durch die Nacht. Der Junge band seine Schuhe zu, schlüpfte in den Anorak und zog die Kapuze über sein verwuscheltes Haar. Den vorderen Rand schlug er hoch. Dann stieg er auf die Fensterbrüstung und sprang in den Garten hinab. Vorsichtig fühlte er sich mit seinen Füßen über die Schrittsteine des Rasenstreifens nach der schmalen Treppe hin, die im Zickzack den Steilhang hinabführte. Unten schwappte das Wasser, das sich noch nicht beruhigt hatte, gegen das Ufer. Da die andere Seite nicht zu erkennen war, sah es so aus, als verliere sich die Fläche im Unendlichen. Der Regen ließ etwas nach, aber die Nacht blieb so schwarz wie zuvor. Es roch nach Schlick und nassem Laub.

Als der Junge am Ufer entlangtrabte, fühlte er wieder die dumpfe Unheimlichkeit, die vom Schlürfen der unsichtbaren Wassermassen ausging. Das Heulen, das jetzt überhaupt nicht mehr aufhörte, verstärkte die Unheimlichkeit noch. Er blieb stehen und versuchte zu schätzen, wie weit der Hund entfernt sei. »Beim Anleger«, dachte er im Weitergehen. »Habe ich doch gleich gesagt. Merkwürdig, daß sonst niemand aufgewacht ist. Die Eltern ja auch nicht. Pennen alle wie die Fledermäuse. Na schön.«

Ein Brausen zog über den Strom, das Wasser klirrte, die Pappeln rauschten auf, und dann fuhr eine Regenbö über den Jungen hin. Der Hang senkte sich und gab die orangenen Straßenlaternen frei. Da war auch schon der Weg, der von der Straße zum Anleger führte. Der Junge ging auf dem Weg weiter. Stromaufwärts stand am anderen Ufer ein verwischter Schein, in dem von Zeit zu Zeit blaue Schweißlichter aufblitzten und erloschen. Soltmanns Werft arbeitete mit Nachtschicht. Jetzt schien der Hund zu merken, daß sich jemand näherte. Er winselte nur noch. Aber im nächsten Augenblick bellte er heiser auf, zweimal, dreimal, und heulte dann wieder los.

»Sei ruhig!« rief der Junge. Und für sich selbst fügte er hinzu: »Wo steckt er denn? — He, ist da wer?«

Keine Antwort. Der Hund röchelte, als drücke ihm jemand die Kehle zu. Gleichzeitig entstand ein Geplatsche und ein merkwürdiges Geklicke.

»Wäre gar nicht verkehrt«, dachte der Junge, »wenn jetzt ein Schiff vorbeikäme, daß ich ein bißchen was sehen könnte. Womöglich hat ihn einer angekettet. Hoppla!« Er stieß gegen das Geländer der Anlegerbrücke. Der Anleger bestand aus einer Brücke, die auf stählernen Rundpfeilern ein gutes Stück auf die Weser hinausführte, und aus einer langen Plattform, deren eine Seite mit der Brücke durch ein Gelenk verbunden war, während die andere auf einem Schwimmer lag, so daß sie sich mit Ebbe und Flut senken und heben konnte. Der Junge tappte neben der Brücke den abfallenden Strand hinunter. Bei jedem Schritt war er darauf gefaßt, ins Wasser zu treten. Seine ausgestreckten Hände berührten einen Pfeiler nach dem andern. Jetzt hatte er das Geröchel und Geklicke und Geplatsche dicht vor sich. Gleich mußte der nächste Pfeiler kommen. Aber da tappte er ins Wasser. Er trat zurück und beugte sich vor, um zu erkennen, was in der Finsternis geschah. Als ein paar Wellen etwas höher schwappten und ihn noch weiter zurücktrieben, fing der Hund von neuem an zu bellen und zu heulen. In der Nähe klang es so herzzerreißend, daß der Junge, ohne sich um das Wasser zu kümmern, auf ihn loswatete.

»Ich komme ja schon. Nun sei doch ruhig! Mensch, sei ruhig!«

Aber der Hund wußte vor Angst nicht mehr, was er tat. Er warf sich dem Jungen entgegen, wurde jedoch zurückgerissen, fiel ins Wasser, heulte, warf sich abermals nach vorn und wurde abermals zurückgerissen. Der Junge faßte zu und erwischte einen struppigen Kopf mit schlaffen Ohren, der sich unter ersticktem Würgen hin und her wand und, zurückfahrend, bellte, heulte, bellte, alles durcheinander. Beim zweiten Zufassen geriet die Hand des Jungen an den Hals und an eine fest herumgezwängte Kette. Er folgte der Kette, die durch den Vorwärtsdrang des Hundes gestrafft war, bis an den Brückenpfeiler. »Ich bin ja da«, sagte er. »Nun mal ruhig! Geh doch ein bißchen zurück, daß ich die Kette lockern kann, hier am Hals!« Aber der Hund wehrte sich, weil er nicht noch tiefer in das schwarze Wasser hineinwollte, das ihm sowieso schon bis über die Brust reichte. »Wo sitzt denn der Ring?« dachte der Junge. Die Kette mußte doch durch einen Ring gezogen sein. Wenn er den Ring hatte, konnte er die Schlinge erweitern. Aber er fand ihn nicht, vorn nicht und hinten auch nicht. Seine Hände suchten noch einmal rund um den Hals herum. Keine Spur von einem Ring. Oder doch, hier? Nein, die Kette war nicht durch einen Ring gezogen, sondern mit einem zusammengedrehten Draht geschlossen. Aber mit einem so dicken und so scharf abgekniffenen Draht, daß keine Möglichkeit bestand, die Drehung mit den Fingern zu öffnen. Der Junge watete nach dem Pfeiler. Auch hier war die herumgeschlungene Kette mit Draht geschlossen.

»Was muß ich jetzt tun?« dachte er. »Mensch, sei still, ich kann doch nichts dafür! – Eine Kneifzange holen? Schön. Aber bis ich zurückkomme, ist er längst abgesoffen. Das Wasser steigt jetzt ziemlich schnell, gut zwei Meter noch. Hilft alles nichts, die Kneifzange muß her.«

Er streifte die Pfoten des Hundes, die ihn umklammerten, von seinen Hüften ab und drehte sich um. Da traf ihn ein gleißender Lichtkegel von oben, verweilte einige Sekunden auf ihm, glitt auf den Hund und kehrte zu ihm zurück. Eine tiefe Männerstimme sagte: »Was gibt's hier denn?«

Der Junge wandte den Kopf weg und blinzelte, die Augen mit der erhobenen Hand abschirmend, ins Licht. »Haben Sie den Hund hier angekettet?«

Die Lampe erlosch. Gleich darauf sprang jemand mit wehendem Mantel von der Brücke herunter. Wieder stach der Scheinwerfer durch die Finsternis und ließ die Regenschnüre aufglitzern. Der Hund schniefte ein paarmal, als das Licht auf ihn fiel. Sein rotbraunes, nasses Fell lag glatt an. Auf der Brust hatte er einen schwarzen Fleck und auf dem Rücken auch, die Beine schienen gelb zu sein, soweit der Junge sie im Wasser erkennen konnte. Die dreieckigen Ohren fielen mit einem Knick nach vorn. Während das rechte halb über das dunkle Auge hing, machte das linke vergebliche Anstalten, sich aufzurichten. Von den Barthaaren am Kinn rann der Regen herunter. »Och«, sagte der Junge, »so ein hübscher Hund! Und die Augen! Er weiß, daß ich ihm helfen will. Bleiben Sie bei ihm! Ich laufe nach Hause und hole eine Kneifzange. Oder haben Sie eine bei sich? Wer sind Sie denn? Ich kann ja nichts sehen.«

»Hier ist die Polizei. Und wer bist du?«

Der Junge nannte seinen Namen.

»Und wo wohnst du?«

»Kreienkamp 17«, sagte der Junge. »So ein hübscher Hund. Es hat ihn wer angekettet. Und dann mit Draht. Ich kriege ihn nicht auf. Und Sie auch nicht. Ganz dicker Draht. Hier. Muß schnell eine Zange her, sonst säuft er ab.«

Der Lichtkegel richtete sich auf den Hals des Hundes und wanderte über die Wasserfläche, die durch die dichten Einschläge der Regentropfen silbrig schimmerte, nach dem Brückenpfeiler. »Sieh dir das an«, sagte der Polizist. »Eine ausgekochte Gemeinheit. Den wollte einer loswerden. Klar.«

»Klar«, sagte der Junge.

»Und da hat er sich nichts Besseres einfallen lassen«, sagte der Polizist, »als diese Gemeinheit. Zu so was ist der Mensch nun Mensch geworden, man sollte es nicht glauben. Nein, mit den bloßen Fingern dreht den keiner auf. Solide Arbeit. Und du weißt nicht, wer das gemacht hat?«

»Ich habe ihn heulen gehört, und da bin ich aus dem Fenster geklettert. Und dann hierher. Jetzt muß ich aber los, sonst säuft er ab. Die Flut kommt schon mächtig auf. Haben Sie eine Ahnung, was für einer es ist? Ich meine, was für eine Rasse?«

»Lauf, was du kannst! Oder warte mal! Nimm mal die Lampe!«

Der Polizist drückte seine weiße Mütze, die mit einer durchsichtigen Regenhaut überzogen war, fester auf seinen Kopf, ergriff die Kette und versuchte, sie mit kräftigen Rucken vom Pfeiler loszureißen. Der Wind ließ den von Nässe glänzenden Mantel um das vorgestemmte Bein flattern. »Keinen Zweck. Ich dachte, ich könnte den Draht aufsprengen. Ist ein Airedaleterrier. Nicht ganz echt, aber immerhin. Lauf und hol die Zange!«

Sowie der Junge den Uferweg unter den Füßen hatte, rannte er aus Leibeskräften los. Der Regen wehte ihm ins Gesicht. »Wie mag einer das tun«, dachte er, »einen Hund totmachen, der einen so aus seinen Augen ansieht! Und dann auch noch mit einer so gemeinen Hinterlist. Ein Glück, daß ich aufgewacht bin! Wenn ihn nur der Polizist nicht mitnimmt. Aber ich war zuerst da. Das kann er nicht abstreiten. Ob Vater wohl erlaubt, daß ich ihn behalte? Mutter schon eher. Aber mit Vater ist es so eine Sache. Er hat nicht viel im Sinn mit Hunden. Dabei ist es so ein hübscher Hund. Und soll totgemacht werden. Ein Mörder, ein richtiger Mörder. Vielleicht steht er irgendwo im Dunkeln und sieht uns zu. Und dann schießt er. Kann man ja nicht wissen. Und das ist es ja, irgendwo im Dunkeln steht einer, und man weiß es nicht. Er denkt irgend etwas, und man weiß es nicht. Nur der Hund ist da, und alles andere weiß man nicht. Gut, daß der Polizist gekommen ist. Was hat er gesagt? Erdölterrier? Nie gehört. Terrier schon. Ich dachte, das wären so schwarzweiße. Wo steht der Werkzeugkasten? Entweder im Besenschrank oder im Keller. Oh, das wäre schlecht.«

Stromabwärts kamen die Lichter eines großen Schiffes um die Biegung. Unwillkürlich fiel der Junge in Schritt und sah zurück. Die Sogwellen würden

über den Hund wegbrausen, ganz hoch. Ein paarmal. Wenn er das nur aushielt! Schlecht, alles schlecht.

Beim Anleger flammte ein Lichtschein auf, erlosch
und flammte von neuem auf. Der Junge fing wieder
an zu laufen. Und da war auch schon das Tor in der
Gartenhecke. Er hastete die steilen Treppenstufen
so schnell hinauf, daß er, vornüberfallend, die Hände
zu Hilfe nehmen mußte. Unter dem Fenster holte er
Atem, sprang hoch und griff hinter den Rahmen. Die
Schuhspitzen kratzten an den Klinkersteinen, die
Linke haftete an einer Fuge, das rechte Knie schob
sich übers Fensterbrett. Er wälzte sich weiter und
stand in seiner Kammer. Nachdem er die nassen
Schuhe abgestreift hatte, öffnete er langsam die Tür
und schlich über den Vorplatz. Die Klinke der Kü-
chentür knirschte zweimal, als er sie niederdrückte.
Sofort ertönte im Elternschlafzimmer die Stimme des
Vaters: »Wer ist da?«

»Ich«, sagte der Junge.

»Warum schläfst du denn nicht?«

»Da ist so ein Hund.«

»Was für ein Hund?«

»Der heult immer so.«

»Darum brauchst du doch nicht im Haus herumzu-
laufen und uns aufzuwecken.«

»Wollte ich ja auch nicht.«

Er hörte, wie die Mutter flüsterte, er habe wohl
geträumt.

»Du hast wohl geträumt«, sagte der Vater. »Mach,
daß du ins Bett kommst!«

»Will nur einen Schluck Wasser trinken.«

Hinter der Schlafzimmertür knarrte ein Bett. Dann war es still.

Der Junge knipste in der Küche das Licht an und drehte den Wasserhahn auf. Der Werkzeugkasten stand tatsächlich im Besenschrank. Er nahm die Kneifzange und die Kombinationszange heraus, schloß den Wasserhahn und ging mit deutlichen Schritten in seine Kammer. Gerade zog der große Frachter am Fenster vorbei, ziemlich schnell, da der auflaufende Flutstrom seine Geschwindigkeit fast verdoppelte, ein Holländer. Der Junge erkannte im Licht der Arbeitssonnen, die an Deck brannten, die beiden weißen Ringe um den schwarzen Schornstein. Das Anziehen der Schuhe, das Hinausklettern und das Hinunterlaufen über die steilen Treppen nahmen so viel Zeit in Anspruch, daß der Holländer schon einen beträchtlichen Vorsprung gewonnen hatte, als der Junge unten ankam. Auch die Sogwellen waren schon vorbeigebrandet. Und dann mußte er noch einmal zurück, weil er die beiden Zangen vergessen hatte. Er wäre so gern eher als der Holländer und vor allen Dingen eher als die Sogwellen bei dem Hund gewesen. Aber er schaffte es nicht, obgleich er lief, als gelte es sein Leben. Wieder leuchtete die Lampe am Anleger auf. Sie bewegte sich hin und her, blieb dann eine Weile ruhig und erlosch.

»Merkwürdig hoch«, dachte der Junge. »Sieht so aus, als stünde der Polizist auf der Brücke. Und wo ist der Hund?«

Der Holländer mußte jetzt ungefähr in der Höhe des Anlegers sein. Gleich würde die erste Sogwelle über den Hund wegschwappen und dann die andern. Warum bellte er denn nicht mehr? Inzwischen war das Wasser ja weiter gestiegen, vielleicht schon so hoch, daß der Kopf des Hundes nicht mehr herausragte. Wenn er nur nicht zu spät kam. Es wollte ihm gar nicht gefallen, daß der Polizist sich nicht mehr unten aufhielt, beim Hund. Oder war alles schon vorbei? Vorhin hatte der Hund doch gebellt und geheult, als die Wellen auf ihn zukamen.

Ein Windstoß fuhr wie ein Seufzen über die Pappeln und ließ einen Schauer dicker Tropfen herunterprasseln. Sonst war kein Laut zu hören. Links glühte die orangene Dämmerung der Straßenbeleuchtung auf.

Da richtete sich das Gegleiße der Stablampe aus der Dunkelheit gegen den Jungen. »Langsam!« rief der Polizist durch den Regen. »Keine Gefahr mehr.« Der Lichtschein wandte sich zur Seite und fiel auf den Hund, der auf der Brücke saß. Der Hund stand auf, schüttelte sich und setzte sich wieder hin. Trotz des Regens konnte der Junge es genau erkennen. Das war ja allerhand. Wie hatte er ihn losgekriegt? Er lief weiter.

»Wie haben Sie ihn denn losgekriegt?« fragte er, als er auf der Brücke ankam. »Ach so.«

Der Polizist hatte das um den Brückenpfeiler gelegte Ende der Kette hochgeschoben, so hoch, daß er den Hund mit ausgestreckten Armen auf die Brücke hinaufheben konnte. »Die einfachste Sache der Welt«, sagte er.

»Muß einem nur einfallen«, sagte der Junge.

»Das schon.«

»Mir ist es nicht eingefallen.«

»Du wärst ja sowieso nicht lang genug gewesen. Gib mal die Zange her! Und dann leuchte mal!«

»Welche wollen Sie?«

Der Polizist nahm die Kombinationszange, kniete nieder und beugte sich, nachdem er seinen Kopf durch das Geländer geschoben hatte, über den vorstehenden Brückenrand, um die Kettenschlinge, die um den Pfeiler gelegt war, zu öffnen. Der Junge kniete neben ihm und streckte die Hand mit der Lampe weit aus, damit das Licht voll auf die Kette fiel. »Wär's nicht einfacher, Sie drehten die Halskette auf?«

»Nein, nein«, sagte der Polizist unterm Arbeiten. »Jetzt wollen wir ... mehr hierher mit dem Licht ... jetzt wollen wir den Kerl auch erwischen, der sich dies saubere Stückchen ausgedacht hat. Der Hund soll uns zu ihm hinführen. Und dazu müssen wir ihn an der Kette haben. Ein verdammt dicker Draht. Halt die Kette gut fest, wenn es soweit ist!«

»Mensch, das ist eine Sache«, sagte der Junge. »Ich darf doch mit?«

»Hast du die Kette?«

»Habe ich. Darf ich mit?«

»Immer los.«

»Wird das bestraft, wenn einer so was mit einem Hund macht? Das ist doch ein Mörder. Ein Hundemörder.«

»Kannst du aber glauben.«

»Und Sie haben keine Angst?«

Der Polizist lachte nur. »Hast du denn Angst?«

»Bißchen.«

»Brauchst du aber nicht.«

»Habe ich aber.«

»Ich bin doch da. Dafür bin ich doch da.«

»Nee ... ja ... Dafür nicht. Ich meine, daß es so was gibt. Ich weiß auch nicht. So was ... daß einer so was macht.«

»Das ist nun mal so in der Welt. Mußt du alles lernen. Hach, die Zange faßt nicht.« Der Polizist rutschte mehr nach vorn. »Irgendwann muß jeder Mensch das lernen.«

»Ja«, sagte der Junge. »Und wenn wir den Mann haben, darf ich den Hund dann behalten? Ich könnte ihn nämlich ganz gut gebrauchen.«

»Wollen mal sehen, wie's läuft. Zieh ihn ein bißchen heran, daß Lose in die Kette kommt!«

Der Hund fing an zu knurren.

»Hören Sie sich das an! — Dabei wärst du längst abgesoffen, wenn wir dich nicht gefunden hätten. — Fallen Sie bloß nicht runter!«

»So«, sagte der Polizist. »Aufgedreht ist er, ich muß ihn nur noch herausdröseln, den Draht. Halt mal eben die Zange!«

Der Junge ließ die Kette los und faßte nach der

Zange, die der Polizist über seinem Kopf nach hinten schwang. In demselben Augenblick machte der Hund einen Satz nach vorn und schnappte zweimal nach der Hand des Jungen.

»Autsch!« Der Junge stieß ihn mit der Zange zurück, ließ sie fallen und warf sich über die Kette. Aber der Hund zerrte sie mit ein paar heftigen Bewegungen vom Pfeiler los und riß das Ende, an dem noch der krumme Draht hing, durch die nachgreifende Hand des Jungen, daß ein Blutstrom zwischen den Fingern hervorquoll. In langen Sätzen fegte er mit der hüpfenden und klirrenden Kette die Brücke entlang und verschwand in der Finsternis. Der Lichtkegel der Lampe, den der Junge hinter ihm her sandte, erreichte ihn nicht mehr.

Der Polizist stand auf: »So ein verrücktes Luder! Rennt in sein Unglück. Verrückt!«

»Ich konnte ihn nicht halten. Wirklich nicht. — Oh, dahinten! Er läuft in die Kapitän-Köster-Straße! Weg ist er. Haben Sie ihn gesehen?«

»Nichts mehr zu wollen. Vorläufig. Der sich das ausgedacht hat, stammt nicht von hier. Das ist mal sicher. Sonst wüßte ja jeder gleich, wohin der Hund gehört. Er muß von ziemlich weit weg sein. — Gib die Lampe her! Ich möchte mir deine Hand mal ansehen.«

»Es ging zu schnell. Ich konnte ihn wirklich nicht halten.«

»Ich ja auch nicht. Wir haben uns für nichts und wieder nichts so zugesaut.«

»Ob er dachte, daß ich ihn mit der Zange schlagen wollte? Oder weshalb? So was aber auch!«

»Das ist Treue, mein Junge. – Ganz ordentlicher Ratscher. Tut's weh?«

»Nicht schlimm.«

»Laß es nur richtig bluten!«

»Und ich dachte, er hätte verstanden, daß wir ihm helfen wollten. Wir wollten ihm doch helfen. Und dann beißt er mich.«

»Für unsereinen ist das nichts Neues.« Der Polizist knipste die Lampe aus. »Für unsereinen nicht.«

Zwischen den Brückenbrettern gurgelte der Strom herauf. Rechts und links klingelten die Regentropfen aufs Wasser.

»Aber der Mann will ihn ja gar nicht haben. Oder meinen Sie, daß er sich doch freut, wenn er ihn morgen früh vor der Haustür findet oder heute nacht?«

»Kaum anzunehmen. – Warte nur, ich kriege schon heraus, wem er gehört! Das wollen wir doch mal sehen! Und dann soll er sich aber wundern.«

»Und dann schenken Sie ihn mir. Wenn er ihm nur nicht schon heute nacht was tut. Was glauben Sie? Wenn es so einer ist.«

»Hm. Na ja ... Sag mal, was ist eigentlich dein Vater?«

»Kranführer auf der Werft.«

»Gut. Wollen mal losgehen. Ich bringe dich nach Hause. Hast du die Zangen?«

»Nein. Machen Sie bitte noch mal Licht!« Der Junge hob die Zangen auf und folgte dem Polizisten.

Bei jedem Schritt quatschte das Wasser in seinen Schuhen. »Und dabei hat er mich mit so klugen Augen angesehen, als ob er mich auch leiden möchte. Ich ihn, und er mich. Warum er das wohl getan hat, der Mann? Und die Ohren waren auch so klug.«

»Na ja«, sagte der Polizist, »auf seine Weise. Er ist ja auch klug, aber eben auf seine Weise.«

»Daß ein Hund mit so klugen Augen so was Verrücktes macht!«

»Er kann's nicht erkennen, Junge.«

»Beißt um sich und rennt weg, wenn man ihm helfen will. Sind Hunde immer so?«

»Nicht nur Hunde.«

Der Junge blieb stehen: »Schade.«

»Trotzdem«, sagte der Polizist. Er blieb gleichfalls stehen.

»Ich meine das mit dem Hund«, sagte der Junge.

»Und ich das mit den Menschen. Komm!«

Sie gingen weiter. Der Regen hörte auf, setzte aber, als sie an die Straße kamen, mit voller Stärke wieder ein.

»Wir gehen vorn herum«, sagte der Polizist. »Ich bin auf Streife.«

Der Junge nickte und wischte mit dem Handrücken das Wasser von seinem Kinn. »Er hätte in meiner Kammer schlafen können, in so einer niedrigen Kiste.«

»Es verlohnt sich trotzdem«, sagte der Polizist.

Inhalt